S0-BZZ-771

ГАРАДЫ БЕЛАРУСІ
на старых паштоўках

TOWNS of BELARUS
on Old-Time Postcards

Viachka Tselesh

TOWNS of BELARUS

on Old-Time Postcards

Minsk «Belarus» 2001

Вячка Целеш

ГАРАДЫ БЕЛАРУСІ

на старых паштоўках

2-ое выданне

Мінск «Беларусь» 2001

Аўтар тэксту і ўкладальнік В.М. Целеш

Мастак А.І. Цароў

Рэцэнзент доктар філалагічных навук,
прафесар А.І. Мальдзіс

ISBN 985-01-0353-1

КОЛЬКІ СЛОЎ ПРА СТАРЫЯ ПАШТОЎКІ

Паштоўкі з відамі беларускіх гарадоў, пераважна губернскіх, пачалі выдавацца ў 90-ых гадах мінулага стагоддзя. А на пачатку XX стагоддзя ў іх знайшлі адлюстраванне і павятовыя гарады. Выданнем паштовак у той час займаліся ўладальнікі кніжных магазінаў і магазінаў пісьмовых тавараў, нават тытунёвых і галантарэйных, а таксама фотаатэлье, друкарняў і літаграфій. Выходзілі яны ў буйных выдавецтвах Вільні, Масквы, Пецярбурга, Стакгольма, Берліна і іншых гарадоў. Набыць іх можна было ў кнігарнях, кіёсках, на складах выдавецкіх фірм, у магазінах і фотаатэлье.

Друкаваліся паштоўкі пераважна чорна-белыя, бо каляровы друк толькі пачаў развівацца. Тыражы, вядома, былі значна меншыя, чым цяпер, а кошт намнога вышэйшым. Паштоўкі служылі не толькі інфармацыяй і рэкламай, але і былі сродкам атрымання дадатковага даходу. Звычайна выдаўцы канкурыравалі паміж сабой. А каб прыцягнуць большую ўвагу да сваёй прадукцыі, кожны імкнуўся прыдаць паштоўкам большую выразнасць і прывабнасць. Часта ўжываліся рэтуш, калаж з некалькіх краявідаў, дамалёўваліся воблакі, месяц. Паштоўкі ўпрыгожваліся рознымі віньеткамі і рамачкамі. Часцей за ўсё адлюстроўваліся цэнтральныя вуліцы, плошчы, вакзал, пошта, банк, навучальныя і іншыя ўстановы. Характэрнымі для гарадоў мінулай эпохі былі культавыя будынкі, таму іх асабліва часта можна бачыць на старых паштоўках.

Паштоўкі звычайна друкаваліся з фотаздымкаў мясцовых майстроў. Каб ажывіць пейзаж, пазбягалі пустых вуліц. Тут можна ўбачыць гужавы транспарт, першыя аўтамабілі і трамваі. Фатограф увекавечваў вулічнага прыбіральшчыка і бабулю з вёскі, гандляра і чыноўніка, гімназіста і хлопчыка з гарадской беднаты. Часта сярод гэтай публікі прысутнічаў і ахоўнік вулічнага парадку — гарадавы. Часам фотамайстар сам падбіраў гарадскія тыпажы і прымушаў абраны «аб'ект» пазіраваць перад камерай. Не мог ён прайсці і міма «цудаў веку» — маленькага паравоза з дымавой трубой, першага рачнога парахода з коламі ля борта.

У час першай сусветнай вайны спецыяльнымі выдавецкімі аддзеламі, якія існавалі пры нямецкіх акупацыйных войсках, былі выпушчаны паштоўкі, на якіх зафіксаваны разбурэнні Брэста, Пінска, Слоніма, Гродна. Гэтыя паштоўкі засведчылі варварствы кайзераўскіх войск на Беларусі.

Дзякуючы паштовым карткам назапасіўся багаты ілюстрацыйны матэрыял аб беларускіх гарадах і мястэчках. І хоць старыя паштоўкі часам маюць слабую фотамастацкую якасць, аднак з'яўляюцца цікавым летапісам мінулай эпохі, каштоўным навукова-дапаможным іканаграфічным матэрыялам для краязнаўцаў.

Не ўсе гарады, зразумела, паказаны ў гэтым выданні аднолькава поўна. Колькасць паштовак залежала ад узроўню эканамічнага развіцця таго ці іншага горада, ад шляхоў, у першую чаргу чыгуначных, якія звязвалі яго з навакольным светам. Некаторыя населеныя пункты прадстаўлены толькі некалькімі паштоўкамі: па-першае, іх мала было выдадзена, па-другое, мала адшукана. Аднак тая колькасць старых паштовак, што ёсць у архівах, усё роўна не змагла б увайсці ў адно выданне. Тут змешчаны толькі найбольш цікавыя паштоўкі як з калекцыі аўтара, так і з фондаў розных музеяў, бібліятэк, а таксама і з прыватных збораў. Многія з іх ніколі не публікаваліся.

У час працы над альбомам аўтар на месцы даследаваў кожную паштоўку, каб устанавіць зафіксаваныя аб'екты. Як вядома, з часоў выдання прайшлі дзесяцігоддзі, але некаторыя будынкі захаваліся і іх лёгка было пазнаць. Іншыя ж рэканструяваны, перабудаваны і, безумоўна, устанавіць іх цяжэй альбо зусім немагчыма. Таму, калі гаворка ідзе пра той ці іншы неіснуючы будынак, у каментарыях да паштоўкі даецца найбольш блізкі арыенцір.

Амаль у кожным населеным пункце можна сустрэць старажыла або апантанага краязнаўца, які добра ведае гісторыю свайго горада. У сваіх даследчых вандроўках аўтар сустракаўся з гэтымі людзьмі. Менавіта яны сваімі ўспамінамі, а супрацоўнікі мясцовых музеяў — ведамі і матэрыяламі вельмі дапамаглі ў падрыхтоўцы фотаальбома. Усім ім вялікае, сардэчнае дзякуй.

КОЛЬКІ СЛОЎ ПРА ГАРАДЫ ТАГО ЧАСУ

Гарады часта называюць каменнымі кнігамі, а вуліцы — старонкамі. І сапраўды, старыя будынкі шмат могуць расказаць пра мінулае, перанесці на дзесяткі гадоў назад. На жаль, захавалася іх вельмі мала. У большасці беларускія гарады былі драўляныя, і калі здараўся пажар, то пасля яго амаль усё знішчалася. Але эканамічна развітыя рэзідэнцыі магнатаў мелі мураваныя замкі, палацы, цэрквы, касцёлы, кляштары. Яны і дайшлі да нашых дзён.

На буйныя гарады Беларусі, асабліва губернскія і некаторыя павятовыя, прыходзілася найбольшая колькасць фабрык, заводаў, рамесных майстэрняў, гандлёвых крам і складоў. З прамысловых прадпрыемстваў тут дзейнічалі мылаварныя, лесапільныя, гарбарныя, цагельныя, суконныя, тытунёвыя, папяровыя, запалкавыя і іншыя заводы і фабрыкі з колькасцю рабочых да некалькіх дзесяткаў.

Эканамічна развітыя гарады ў гэты час становяцца не толькі адміністрацыйнымі, але і культурнымі цэнтрамі. Ядром іх звычайна з'яўлялася Саборная ці Рыначная плошча. Вакол яе мясціліся цэрквы, касцёлы, губернская, гарадская або павятовая ўправы, дом губернатара, прысутныя месцы (дзяржаўныя ўстановы) і крамы. У некаторых гарадах (Магілёў, Віцебск, Гродна, Нясвіж і інш.) з тых часоў, калі ім надавалася магдэбургскае права, яшчэ знаходзіўся будынак былога магістрата — ратуша. Рыначную плошчу ўпрыгожвалі гандлёвыя рады ці гасціны двор — прататыпы сучасных універмагаў. Будаваліся яны ў выглядзе замкнутага прамавугольніка (Брэст) ці падоўжнага аднаго або некалькіх будынкаў (Навагрудак, Бабруйск, Пінск). Гандлёвыя рады часам нагадвалі літару «П» (Нясвіж, Ваўкавыск). Такія будынкі складаліся з невялікіх памяшканняў, якія прыстасоўваліся пад розныя крамы. Звонку гандлёвыя рады часта мелі каланадную або аркатурную галерэі (Брэст, Навагрудак, Кобрын і інш.).

1. Вёска Трышын. У 1968 годзе ўвайшла ў межы Брэста. На месцы хатак з саламянымі стрэхамі зараз узвышаюцца карпусы электрамеханічнага завода.

1. The village of Tryshyn. In 1968 it became part of Brest. Buildings of an electrical engineering works have risen today where once there were straw-roofed houses.

З-за частых пажараў, якія знішчалі вялікую частку драўлянага горада, цэнтр пачаў забудоўвацца толькі мураванымі будынкамі. Вуліцы брукаваліся, мелі тратуары з дошак, а ў некаторых гарадах нават з цэглы. Вечарамі яны асвятляліся газавымі ліхтарамі. Жылі тут заможныя людзі — прамыслоўцы, гандляры, чыноўнікі. Мураванкі будаваліся эклектычна — у стылі «мадэрн» ці ў псеўдастылі. Многія будынкі атынкоўваліся, фасады аздабляліся прыгожай лепкай. Іншыя заставаліся неатынкаванымі, аднак прываблівалі сваёй ажурнай кладкай, архітэктурнымі формамі, дэталямі. У асноўным гэта былі даходныя дамы. Першыя паверхі займалі крамы, майстэрні, фатаграфіі, цырульні, аптэкі са шматлікімі маляўнічымі шыльдамі, верхнія ж паверхі ішлі пад жыллё

2. Чыгуначны вакзал*.

2. The railway station*.

ці пад дзяржаўныя і прыватныя ўстановы. У дзелавой частцы горада вуліцы былі найбольш люднымі. Тут знаходзіліся тэатр, электратэатр, або сінематограф, як у той час называлі першыя тэатры нямога кіно. У Мінску гэта былі «Мадэрн», «Эдэн», «Ілюзіён», «Новы тэатр», у Гомелі — «Тэатр мастацтваў», «Новы ілюзіён», у Рагачове — «Мадэрн», у Бабруйску — «Гігант», «Увесь свет», «Эдэн» і г. д.

Месцамі адпачынку гараджан былі парк, сад, сквер, набярэжная ракі. У гарадскім парку звычайна ўзвышалася летняя эстрада, дзе іграла музыка, праходзілі розныя прадстаўленні. Зімой адкрывалі каток. У некаторых гарадах пачалі закладваць спартыўныя пляцоўкі, трэкі для веласіпедаў. У Мінску велатрэк знаходзіўся ў Губернатарскім парку (цяпер Цэнтральны дзіцячы парк імя М. Горкага). Вялікі велатрэк быў у Гомелі — у Максімаўскім парку (у наш час тут размясціўся стадыён завода «Гомсельмаш»). У Віцебску існаваў яхт-клуб.

Тагачасны горад немагчыма ўявіць без культавых будынкаў — сабораў, цэркваў, касцёлаў, лютэранскай кірхі, татарскай мячэці, сінагогі, якія каларытна ўпісваліся ў агульную забудову. Менавіта яны, а таксама ратушы, пажарныя вежы з вадакачкамі сваёй манументальнасцю і ўзнёс-

* Зорачкай адзначаны будынкі, якія захаваліся да нашых дзён.

* Astericked are the buildings that have survived till today.

ласцю стваралі непаўторны, характэрны сілуэт кожнага горада.

Забудова ў той час складалася звычайна з прамых вуліц (Полацк, Рагачоў, Асіповічы і інш.). Аднак у некаторых гарадах з-за рэльефнай мясцовасці, размяшчэння ўздоўж ракі (Мазыр, Навагрудак, Слонім) гэта геаметрычнасць страчвалася. Звычайна вуліцы пачыналіся ад Рыначнай, Сабornай, Парадная, Сеннай або якой іншай плошчы, а за рысай

3. Прыбыццё цягніка.

3. A train coming in.

горада пераходзілі ў тракт ці шашу. Ад горада, куды вялі гэты тракт або шаша, атрымлівалі сваю назву і вуліцы. Пра гэта сведчаць назвы Пецярбургская ў Оршы і іншых гарадах, Смаленская і Суражская ў Віцебску, Брэсцкая ў Ваўкавыску і Пінску, Віленская ў Мінску і Лідзе. Назвы вуліц мінулай эпохі неслі адбітак свайго часу. У Ваўкавыску існавала вуліца Дваранская, у Гродне — Саборная і Купецкая, у Мінску — Губернатарская і Багадзельная, у Брэсце — Паліцэйская, у Пінску — Турэмная, у Бабруйску — Мураўёўская і Сталыпінская.

Гужавы транспарт тады быў асноўным. Па каменным бруку з рання і да позняга вечара грукаталі драўлянымі коламі, абцягнутымі жалезнымі абадамі, фурманкі рамізнікаў і сялянскія вазы з навакольных вёсак. Зімой колы замянялі санямі, здалёку чуліся меладычныя званочкі, што падвешваліся да вупражы. У 1892 годзе на вуліцах Мінска з'явілася конка. Гэта быў невялічкі вагончык, запрэжаны двума, а на ўзгорыстых участках лініі трыма коньмі. У 1898 годзе па Віцебску пачаў хадзіць першы на Беларусі і адзін з першых у Расійскай імперыі электрычны трамвай. На пачатку XX стагоддзя ўсё часцей можна было ўбачыць на гарадскіх вуліцах веласіпед, а неўзабаве з'явіліся аўтамабілі.

Ускраіны тагачасных гарадоў нагадвалі вясковыя вуліцы. Забудаваны яны былі драўлянымі хатамі, агароджанымі плотам. Звычайна не брукаваліся, не мелі тратуараў, ноччу не асвятляліся. Вясной і восенню з-за бруду тут цяжка было прайсці. На ўскраінах жыла бедната.

Некаторыя гарады акружалі фарштаты і слабоды. У Гродне быў Занёманскі фарштат, у Бабруйску — Бярэзінскі і Мінскі. Мінск меў Татарскую, а Гродна — Аляксандраўскую слабоды, Барысаў і іншыя гарады — проста слабоды. Назва «фарштат» паходзіць ад нямецкай назвы «прадмесце». А «слабада» пайшла ад колішніх пасяленняў за рысай горада вольных (свабодных) сялян, рамеснікаў, гандлёвых і іншых людзей, чужаземцаў або перасяленцаў з розных куткоў дзяржавы. Прадмесці часта мелі назвы вёсак, якія паглынуў горад. У Мінску так адбылося з Камароўкай і Ляхаўкай. Былі і адмысловыя, вычварныя назвы. У Гомелі на пачатку нашага стагоддзя існавалі прадмесці Амерыка, Свісток, Каўказ.

4. Слабодка.
Цяпер вуліца Чырвонаармейская ад завулка Садовага ў бок ракі Бярэзіны.

4. A suburban settlement, now Chyrvonarmeiskaya Street stretching from Sadovy Lane to the Berezina river.

Не чуваць больш на вуліцах нашых гарадоў грукату драўляных колаў. На змену гужавому транспарту прыйшлі тралейбусы і аўтобусы, а ў Мінску — яшчэ і электрацягнікі метрапалітэна. Брукоўку вуліц і тратуары з дошак змяніла цёмна-шэрае палатно асфальту. Праўда, у некаторых гарадах яшчэ можна знайсці кавалачак вуліцы са старой каменнай брукоўкай і нават пачуць цоканне конскіх капытоў па асфальце. Але для сучаснага горада гэта ўжо вялікая рэдкасць. Як і тыя старыя будынкі, што ўратаваліся ад войнаў і часу, а цяпер, адрэстаўрыраваныя, вабяць сваёй таямнічай прыгажосцю цікаўных турыстаў.

Калі прайсціся па старым цэнтры Мінска, Гомеля, Гродна, Полацка ці якога іншага горада, а потым паглядзець на іх планы канца XIX—пачатку XX стагоддзя, то можна заўважыць, што былая планіроўка вуліц, асабліва галоўных, пераважна захавалася. Праўда, многія вуліцы пасля рэканструкцыі сталі шырэйшыя. А некаторыя ўвогуле зніклі. З канца мінулага стагоддзя і да нашых дзён гарады паступова

5. Стаянка аўтамабіляў у час гонкі Пецярбург—Масква ў 1912 годзе.

5. A parking lot at the time of the 1912 St Petersburg — Moscow car race.

мянялі архітэктурнае аблічча. І гэта натуральна, бо час робіць сваё — расце колькасць насельніцтва. Безумоўна, кватэры ў сучасных дамах адрозніваюцца ад кватэр у старых будынках з тоўстымі мураванымі сценамі і невялікімі аконнымі праёмамі. Аднак не гэта галоўнае. Калі прайсціся па шырокіх вуліцах у мікрараёнах з аднатыпнымі гмахамі, што ціснуць магутнасцю мураваных сцен на людзей, то ці надоўга затрымаецца погляд на тым ці іншым будынку? Ці адчуецца тая прывабнасць і ўтульнасць, якія мы бачым у старым цэнтры Гродна, Вільні, Масквы, Рыгі або Таліна, не гаворачы ўжо пра гарады еўрапейскіх дзяржаў?

Сапраўды, мала які беларускі горад можа сёння ганарыцца сваёй архітэктурай. Ды і чым ганарыцца, калі многія з іх страцілі стагоддзямі сфарміраванае аблічча, калі бульдозерам знесена іх гісторыя? Чаму так атрымалася, што старажытныя беларускія гарады засталіся без сваёй архітэктурнай спадчыны?

Безумоўна, найбольшую шкоду ім нанесла Вялікая Айчынная вайна. Аднак не меншыя разбурэнні адбыліся і ў мірны час. Не толькі асобныя будынкі, але і цэлыя кварталы старой забудовы многіх гарадоў знесены па загаду некампетэнтных чыноўнікаў, якія часта кіраваліся палітычнымі матывамі ці чыімі-небудзь амбіцыямі. Немалую шкоду нанеслі гарадам архітэктары-кар'ерысты, якія ажыццяўлялі свае праекты без уліку гістарычнага асяроддзя. А яшчэ варожасць да культавай архітэктуры, якая існавала доўгі час, абыякавасць да нацыянальнай спадчыны і гісторыі прывялі да незаменных страт. У выніку амаль увесь Мінск з каштоўнымі архітэктурнымі помнікамі пайшоў пад бульдозер, засыпана вядомая са старажытных часоў рака Няміга. На жаль, сёння мы не можам любавацца спічастымі вежамі віцебскіх сабораў, што складалі не так даўно залатое ядро архітэктурнай спадчыны горада. Назаўсёды зніклі старыя гімназіі, ратушы, гандлёвыя рады, вежы і іншыя будынкі ў нашых гарадах.

Каменная спадчына ў большасці сваёй страчана. Аднак захавалася іншае багацце — старыя паштоўкі з відамі беларускіх гарадоў. Магчыма, альбом найбольш поўна раскажа пра архітэктуру нашых гарадоў на пачатку XX стагоддзя, пра майстэрства мураванай кладкі і драўлянае дойлідства продкаў, якія ўкладалі любоў і душу ў сваю працу. І, дакрануўшыся да мінуўшчыны, да архітэктурнай спадчыны, мы зразумеем каштоўнасць страчанага, зацікавімся нашай гісторыяй. Магчыма, паіншаму станем адносіцца да старых будынкаў, якія захаваліся. Зразумеем, што ўцалелае трэба берагчы, а страчанае ўзнаўляць, каб гісторыя абагачала нашу духоўнасць.

A FEW WORDS ABOUT OLD POSTCARDS

Postcards with views of Belarusian towns, of which the majority were regional centres, began to come out in the `90s of the past century, with district centres appearing on them in the early 20th century. Involved in the publication of postcards at the time were owners of book publishers, stationary and tobacco sellers, as well as haberdashery shops, photo studios, printing houses and lithography workshops. They were published by major publishing companies of Wilno, Moscow, St. Petersburg, Stockholm, Berlin and other cities. One could obtain them in bookshops, news-vendors and in various consumer goods shops.

The majority of postcards were black-and-white, colour printing was then only started. Postcards were issued in much smaller numbers than today and their cost was much higher. They carried all types of information and advertising, and brought manufacturers and sellers additional revenue. As a rule, there was competition between postcard printers who did their best to make their product as much attractive and impressive as possible. They often used retouch and collage of several scenes, the Moon and clouds might be drawn additionally for beauty. Postcards were decorated with vignettes and flowers. The most popular pictures were those of streets, squares, railway stations, post-offices, banks, educational establishments, etc. As worship buildings were an inalienable part of the former days towns, they were the most frequent sight depicted in old postcards.

Background pictures for the postcards were usually made by local masters. To avoid boring sights they refrained from picturing empty streets, so one can see horse-drawn transport, first cars and tramways of those days. A photographer would immortalize a man cleaning the streets, a country woman, a trader, an office worker, a gymnasium student and a boy from poor quarters. Very often participating in city scenes were city policemen on the beat. At times, the photographer would himself pick out a character in the street and would make the «object» pose before his camera. Neither would he miss the opportunity to take a snap of the «wonders of the century» — a small steam-engine with a smoke-stack or the first steamer with wheels at its sides.

During World War I some German publishers produced postcards featuring destroyed cities of Brest, Pinsk, Slonim, Grodna. Those cards bore witness to the Keiser troops atrocities in Belarus.

Thanks to postcards rich information material about Belarusian towns and district centres was gathered. Even though the old postcards may be of low artistic quality, they are a peculiar chronicle of the past epoch and serve as a precious iconographic reference for researchers in country studies.

Not all towns, however, are equally well presented in this edition. The amount of postcards published in a town depended to a considerable extent on the economic status of the town, on its infrastructure, railroads, in particular. Some towns are represented by very few postcards for two reasons: firstly, there were few of them published; secondly, few of them were found. Anyway, all the old postcards that are kept in the archives would not fit into one album for lack of space. The album holds only the most peculiar of them belonging both to the author and to various museums, libraries and private collections. A lot of them have never been published thus far.

In composing the album, the author did a lot of research trying to identify each picture object. Decades have passed since the postcards were published but many buildings presented in them still exist, so they were easy to identify. Whereas other buildings have undergone repairs and even were rebuilt, therefore, obviously, their identification was much more troublesome and sometimes impossible. If a postcard bears the image of a building that does not exist any more, the author tries to give the reader the closest directions.

In nearly every small town one is sure to find an old man or an obsessed country researcher who would know the country's history to the end. While studying his motherland's history, the author often met with this kind of people and it is the people and staff of various museums that helped the author with their invaluable information and materials as he compiled the album. Heartiest thanks to all of them.

A FEW WORDS ABOUT TOWNS OF THOSE DAYS

Towns are sometimes called «books made of stone» with streets being the pages. Indeed, old buildings can tell us a lot about the past, carrying us many decades back to early days. Sadly enough, such buildings are few. The majority of old town buildings were made of wood and when fire

6. Вуліца Віленская ў бок плошчы Леніна. Цяпер тут новая забудова.

6. Vilenskaya Street close to Lenin Square. New buildings have grown here.

occurred it destroyed almost everything. However, the economically better developed residences of rich magnates were composed of stone-made castles, palaces, churches and monasteries which have stood till today.

Nearly all factories, workshops, warehouses and stores were concentrated in Belarusian regional and sometimes district centres. The most common industries in them were soap, brick, paper, tobacco and matches manufacture. Timber processing, textile production and tanning were also popular. Dozens of people were involved in some of these productions.

The most highly developed towns were becoming not only administrative but cultural centres. All public life in the towns was concentrated around churches and in market squares. Those were the places where all major administrative buildings — Governors' houses, government offices and shops were located. Some towns (Magileu, Vitsebsk, Grodna, Nyasvizh), once they were granted the Magdeburg Right, would build a City Hall where the Magistrate sat. Market squares were usually lined with rows of shops — prototypes of contemporary department stores. They were built as a complete rectangle (Brest) or as an alongated structure, or as several buildings (Navagrudak, Babruisk, Pinsk). In some places (Nyasvizh, Vaukavysk) the shopping rows formed the Cyrillic letter П. Inside the buildings were small rooms used as multi-purpose shops. To link the rows there were arcades or colonnades (Brest, Navagrudak, Kobryn).

As fires destroyed big parts of wooden towns, their centres were gradually filled with stone or brick houses. Streets were laid with cobble stone, had sidewalks of wooden boards or even, in some towns, of brick. In the evening they were lit with gas lamps. Living in the new buildings were wealthy industrial tychoons, traders and white collar workers. The architecture of the houses was either modern or pseudostyle. Many houses were plastered, their facades being decorated with beautiful stucco-work. Other buildings stayed unplastered but had intricate brick-or stone-work, specific architectural forms and details. Basically, these were profit-making enterprises, with ground floors occupied by various shops which had numerous colourful sign-boards. Upper floors were used as residence or were rented by private businesses. Streets in the centre of a town were more busy than in other parts. There would be a theatre and a cinematograph where the first mute films would be shown. In Minsk these cinemas had the names of Modern, Eden, Illusion, New Theatre. In Gomel they were called Arts Theatre, New Illusion. In Ragachou — Modern. In Babruisk — Gigant, All the World, Eden, etc.

The townsfolk would spend their free time in parks, gardens and on river banks. A city park would normally have a wooden stage from which an orchestra would play and actors would perform. In winter there would

7. Саборная плошча і Гогалеўская вуліца, цяпер Леніна. З левага боку Мікалаеўскі кафедральны сабор, з правага — акруговы суд.

7. Sabornaya (Cathedral) Square and Gogaleuskaya Street, today named after Lenin. To the left is the St Nicholas Cathedral, to the right — the Regional Court.

be a skating-rink. Some towns had sports grounds and cycling tracks. In Minsk, the cycling track was situated in the Governor's Park (today the Central Children's Park). There was a big cycling track in Gomel which was then located in Maximov Park which now has turned into the Gomselmash factory stadium. Vitsebsk had a yachting club.

One would not imagine a town of those days without a cathedral, a church, a mosque or a synagogue which would wonderfully match the town's architecture. Together with the City Hall, the fire and water towers they created a unique characteristique silhouette of every town.

The streets of old-time towns were normally straight (Polatsk, Ragachou, Asipovichy, etc.). However, certain towns (Mazyr, Navagrudak, Slonim) were located on hilly terrain or along rivers, so the streets in them were not symmetrically straight. Streets in towns would normally originate in the centre, around market places, cathedrals and churches and gradually flow into main roads or highways. Such streets were given the names of towns or cities to which those highways took you. St Petersburg Street in Orsha and other towns, Smalensk and Surazh Streets in Vitsebsk, Brest Street in Vaukavysk and Pinsk, Vilenskaya Streets in Minsk and Lida. The name of streets of those days would obviously reflect the then popular notions. In Vaukavysk there was Gentry Street, in Grodna — Cathedral and Merchant Streets, in Minsk — Governor and Asylum Streets, in Brest — Police Street, in Pinsk — Prison Street, in Babruisk — Muraviev and Stolypin Streets.

Horse-drawn transport was the most popular one at the time. From early morning till late at night the streets were filled with the rattle of wooden, iron-bound wheels of coaches and village carts that flooded towns. In winter wheels would be replaced with a sledge and the sweet ding-dong of the bells fixed to the harness could be heard from afar. In 1892 the first street-car appeared in the streets of Minsk. It was a small carriage drawn by two or, on hilly streets, by three horses. In 1898 the Belarus' first electric tramway began to run the streets of Vitsebsk. This was also one of the first trams to come into being in the entire Russian Empire. In the early 20th century the bicycle was becoming common in city streets and presently cars appeared.

The outskirts of old-time towns looked like village streets. They were lined with wooden houses surrounded by a fence. As a general rule, the streets were not cobbled, had no pavements and were not lit at night. In spring and autumn they were so muddy that crossing them was a problem. Poverty reigned there.

Some old towns were surrounded by boroughs and settlements. There was a Trans-Nieman borough in Grodna, Berezina and Minsk boroughs in Babruisk. Minsk had a Tatar settlement and Grodna — the Alexander settlement. In Barysau and other towns such places were simply called settlements and were populated with people who moved to live here from other parts of the country or abroad. Boroughs often had the names of villages that were joined with towns. In Minsk this was the case with Kamarouka and Lyakhauka. There were extraordinary, off-hand names, though. In Gomel of the early 20th century there were boroughs called America, Caucasus, Whistle.

The rattle of wooden wheels is no longer heard in the streets of our towns. Horse-drawn transport has been replaced by trolleys and buses. In Minsk, an underground has been built. Grey asphalt has replaced cobble

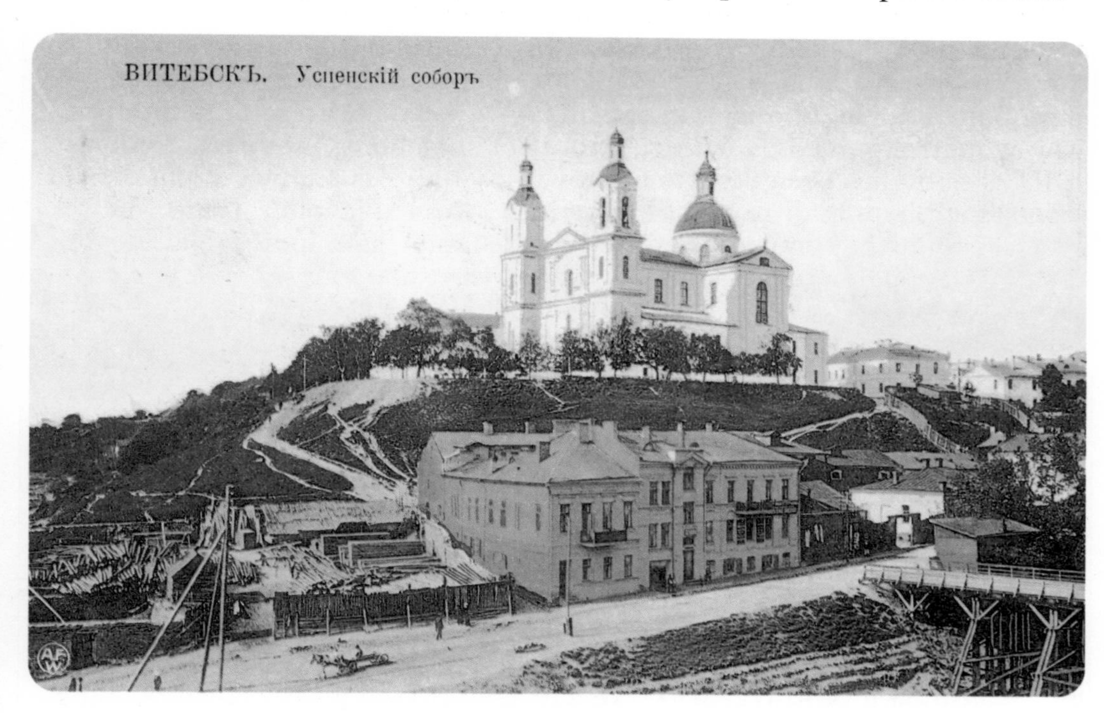

8. Віцебск.
Успенскі сабор. Гэта былы будынак касцёла базыльянскага кляштара XVIII ст. Не збярогся.

8. Vitsebsk.
The Ascension Cathedral. Earlier it was a Catholic Church of the 18th century St Basil Monastery which is no longer there.

stones and wooden pavements. And although one can still see bits of old-time cobbling and hear the clatter of hoofs in the streets of modern towns, today they would be a rarity. Similarly, the old buildings that stood the test of time and survived the war attract tourists with their renovated, yet unique beauty.

If you walk across the original centres of Minsk, Gomel, Grodna, Polatsk and other towns and then look at their plans of the late 19th — early 20th centuries, you will probably notice that many modern streets have preserved their original layouts, becoming just slightly broader after the reconstructions. Other streets, however, have disappeared altogether. The architectural appearance of towns has been changing starting from the end of the 19th century. This is only natural because urban population has grown considerably. Flats in modern blocks are certainly very different from the flats one saw in the old houses with thick stone walls and narrow windows. However, this is not the main thing. If you walk the broad streets of the new residential areas with huge stereotype dwelling blocks whose concrete panels seem to weigh heavy on you, you will hardly find a building that will catch your eye. Do you feel as much at home in these quarters as you would in the old centre of Grodna, Wilno, Moscow, Riga or Tallinn, not to mention the old European cities?

Indeed, there are few towns in Belarus today that could boast self-made architecture. Almost all of them have lost their original age-old look when bulldozers buried their history. Why did it happen so that the ancient towns of Belarus have lost their architectural individuality? Of course, the greatest damage was done by World War II, but peaceful times has brought just as much loss. Not only separate buildings but entire quarters of old houses were pulled down following the resolutions by incompetent adminitrators who would be guided by political motifs or somebody's selfish ambitions. A lot of harm has been done to old towns by reckless architects who would reconstruct them in disregard of historically formed layouts. There was also a long-lasting intolerance of religious architecture, indifference towards national heritage and culture. As the result, almost entire ancient Minsk with its precious architectural monuments was razed to the ground and the ancient Nyamiga river was buried underground. Sadly enough, we can no longer enjoy looking at spearheaded towers of Vitsebsk cathedrals that until very recently were the golden fund of the town's architecture. There are no more old gymnasia, no city halls, no rows of shops, towers and other sights in our towns.

Our «stone» history has chiefly been lost but we are lucky enough to have the opportunity to see the old postcards with views of ancient towns. We hope this album will help you learn more about the architecture of our towns at the beginning of the 20th century. It will tell you about stone-and brick-work craft, as well as about the ancient wooden architecture. In learning about the past, the historical heritage, we shall be able to evaluate the cost of the losses. We shall take a different stand when considering the role of old buildings and will do our best to protect what has been preserved and revive what has been lost.

9. Віцебск.
Смаленская вуліца (Леніна). Касцёл святога Антонія не захаваўся.

9. Vitsebsk.
Smalenskaya (Lenin) Street. The Catholic Church of St Antonius has not survived.

10. Віцебск.
Смаленская вуліца. Гэтыя будынкі, акрамя ратушы, што з левага боку, не зберагліся.

10. Vitsebsk.
Smalenskaya Street. All these buildings except for the Town Hall (on the left) are no longer there.

11. Прывітанне з Гродна. Рэкламная паштоўка.

11. Greetings from Grodna. A publicity postcard.

12. Прывітанне з Гродна. Рэкламная паштоўка.

12. Greetings from Grodna. A publicity postcard.

13. Гродна.
Агульны від горада
з правага берага ракі
Гараднічанкі.

13. Grodna.
General view of the city
from the right bank of the
Garadnichanka river.

14. Прывітанне з Полацка. Рэкламная паштоўка.

14. Greetings from Polatsk. A publicity postcard.

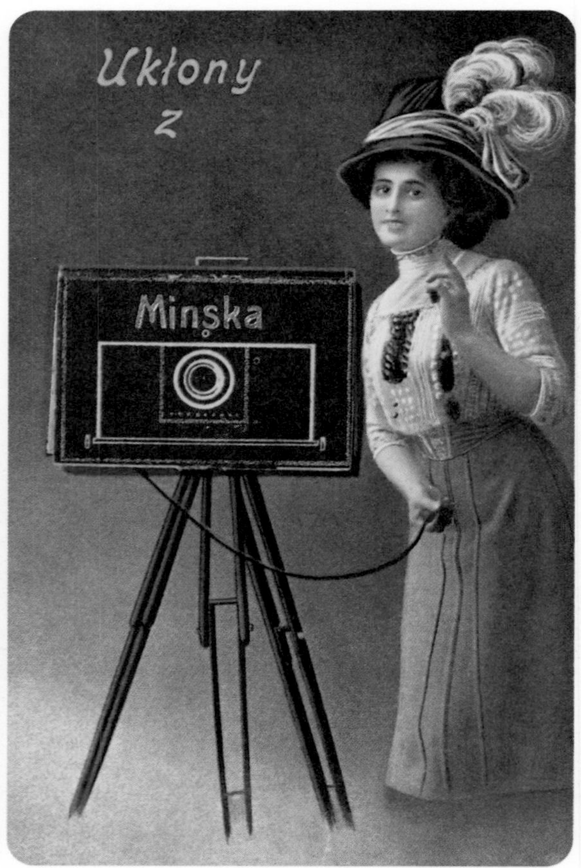

15. Паклон з Мінска. Рэкламная паштоўка.

15. Regards from Minsk. A publicity postcard.

16. Сардэчнае прывітанне з Оршы. Рэкламная паштоўка.

16. Cordial greetings from Orsha. A publicity postcard.

17. Віцебск.
Такой была вуліца Талстога ў Віцебску на пачатку нашага стагоддзя.

17. Vitsebsk.
The way Tolstoi Street looked at the turn of the century.

18. Віцебск.
Від на горад і раку Віцьбу.

18. Vitsebsk.
View of the city and river Vitsba.

19. Віцебск.
Мост праз Заходнюю Дзвіну. Пабудаваны ў 1863—1867 гадах. Цяпер на яго месцы Кіраўскі мост.

19. Vitsebsk.
The bridge across the Zapadnaya Dvina, built in 1863—1867. Today it has been renamed into Kirauski bridge.

20. Полацк.
Агульны від горада. Старая забудова амаль не захавалася.

20. Polatsk.
General view of the city. Practically no old buildings have survived.

21. Барысаў.
Вуліца Віленская і рог Савуцінскай. Цяпер гэта скрыжаванне вуліц Камсамольскай і 3-га Інтэрнацыянала. Старая забудова тут збераглася.

21. Barysau.
Vilenskaya and Savutsinskaya Streets corner. Now it's the junction of Kamsamolskaya and 3rd International Streets. Some old buildings are still there.

22. Магілёў.
Від на Дняпроўскі праспект (вул. Першамайская) і горад. Старую забудову ў пасляваенны час змяніла новая.

22. Magileu.
View of the Dniaprouski Praspekt (Pershamaiskaya Street) and township. The old buildings have been replaced by the new post-war scenes.

23. Віцебск.
Смаленская вуліца
і мураваны мост.

23. Vitsebsk.
Smalenskaya Street and
the stone bridge.

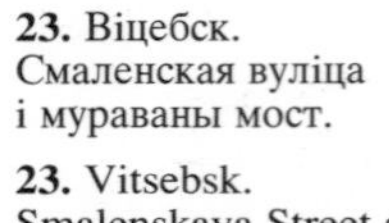

24. Мінск.
Урадавая жаночая гімназія.
Знаходзілася на Праабра-жэнскай вуліцы (Інтэрна-цыянальнай).

24. Minsk
The public women's gymnasium. It stood in Preobrazhenskaya Street (Internatsianalnaya).

25. Мінск.
Гасцініца «Еўропа». Знаходзілася на рагу Губернатарскай вуліцы (Леніна) і Сабарнай плошчы (плошчы Свабоды).

25. The Hotel "Europa".
It was situated in the place where Gubernatarskaya (Lenin) Street ran into Sabornaya (Cathedral) Square, now Svabody (Freedom) Square.

26. Мінск.
Губернатарская вуліца ля Сабарнай плошчы. Справа шасціпавярховы будынак гасцініцы «Еўропа». Старая забудова тут не збераглася.

26. Minsk
Gubernatarskaya Street near Sabornaya (Cathedral) Square. On the right is the six-storeyed building of the Hotel "Europa". The buildings have not survived.

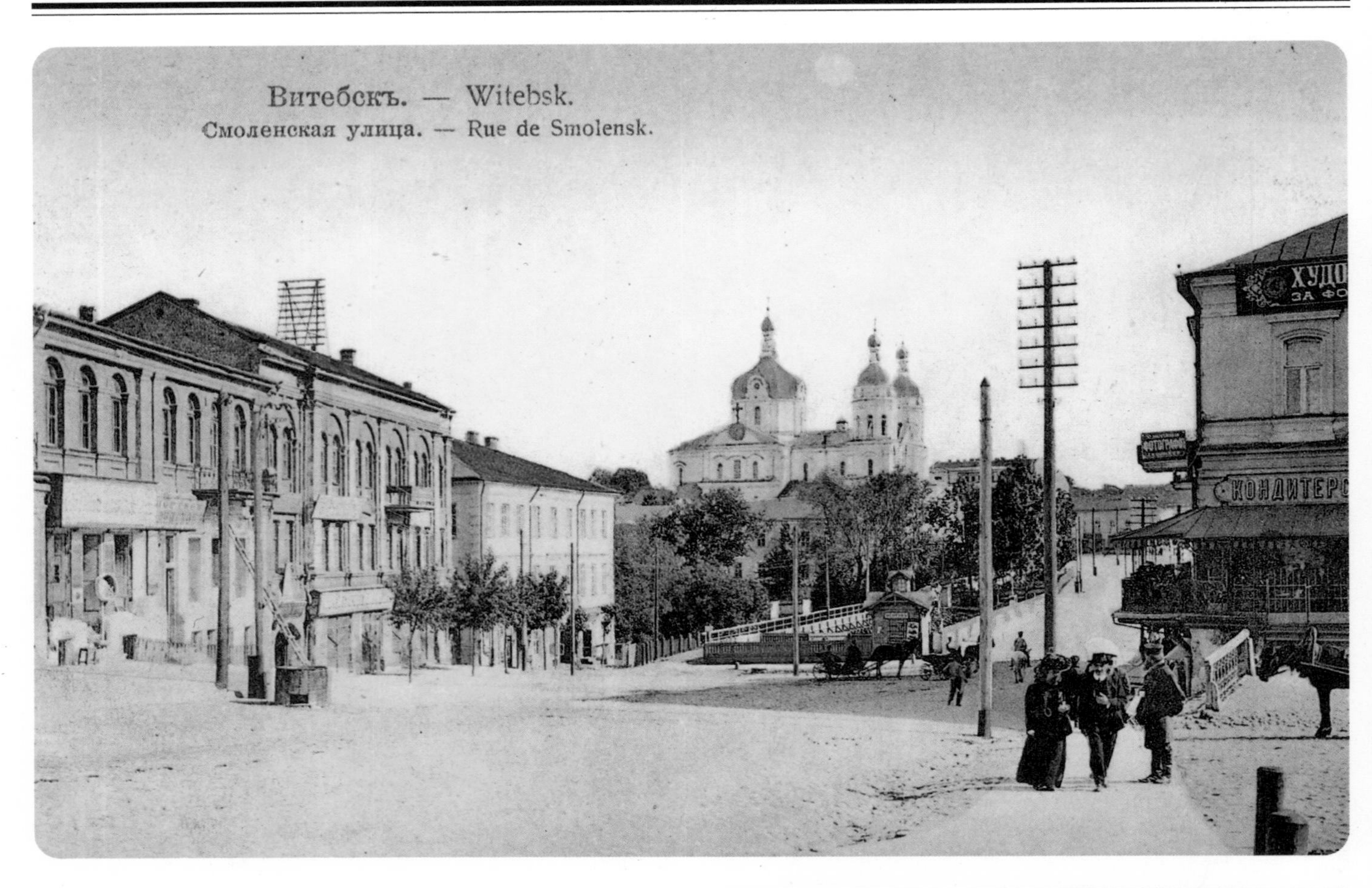

27. Віцебск.
Від Смаленскай вуліцы (Леніна) ад Васкрасенскай плошчы ў бок Саборнай плошчы.

27. Vitsebsk.
View of Smalenskaya (Lenin) Street from Vaskrasenskaya Square onto Sabornaya (Cathedral) Square.

28. Нясвіж.
Слуцкая брама. Помнік архітэктуры барока. Пабудавана ў 1690 годзе на месцы брамы XVI ст. Назву атрымала ад уезду ў горад з боку Слуцкага тракту. Трапіць у горад, абмінуўшы браму, было практычна немагчыма.

28. Nyasvizh.
The Slutsk Gate. A baroque architectural monument. Built in 1690 instead of the 16th century gate. It was named after the Slutsk highway. Entry into the town by passing the Gate was virtually impossible.

29. Мінск.
Рака Свіслач. Злева будынкі Траецкага прадмесця, справа — адхон Мінскага замчышча, а за мостам відаць Верхні горад.

29. Minsk.
The Svisloch river.
On the left is Traetskae Pradmestye settlement, on the right — the Minsk Castle Hills. Further behind the bridge is Verhni (Upper) Town.

30. Віцебск.
Сувораўская вуліца (Суворава) у бок Васкрасенскай плошчы. Васкрасенская царква, якая відаць на другім плане, не зберaглася.

30. Vitsebsk.
Suvorauskaya (Suvorov) Street way down to Vaskrasenskaya Square. The Resurrection Church conspicuous in the background has not survived.

31. Гродна.
Мужчынскі кляштар. Знаходзіўся на горцы, дзе цяпер абласны драмтэатр.

31. Grodna.
Men's monastery. It stood on the hill where a drama theatre is today.

32. Мінск.
Жаночая гімназія. Знаходзілася на Падгорнай вуліцы (К. Маркса).

32. Minsk.
Women's gymnasium.
It was situated in Padgornaya (K. Marx) Street.

33. Мінск.
Велатрэк Мінскага таварыства веласіпедыстаў-аматараў. Знаходзіўся ў Губернатарскім садзе (Цэнтральны дзіцячы парк імя Горкага).

33. Minsk.
The cycling track of the Minsk amateur cyclist club. It stood in the Gubernatarski Garden (Central children's park named after M. Gorki).

34. Мінск.
Новамаскоўская вуліца (Мяснікова). У гэтым будынку на пачатку стагоддзя знаходзілася тэатральная зала «Парыж», у якой 25 і 27 чэрвеня 1911 года адбыўся спектакль па п'есе Каруся Каганца «Модны шляхцюк». Гэта было першае ў Мінску тэатральнае выступленне славутай трупы заснавальніка беларускага нацыянальнага прафесійнага тэатра Ігната Буйніцкага.

34. Minsk.
Novamaskouskaya (Miasnikov) Street. This building used to house a theatre called "Paris", where "The Local Dandy" play by Karus Kaganets was staged on the 25th and 27th of June 1911. It was the first theatrical performance in Minsk presented by the famous collective headed by Ignat Buinitski, founder of the national Belarusian professional theatre.

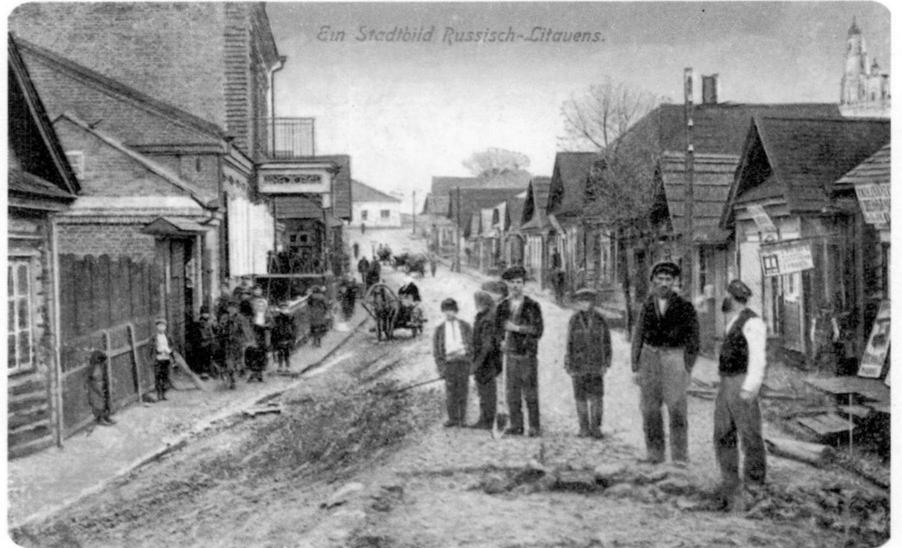

35. Глыбокае.
Замкавая вуліца (Леніна). Старая забудова тут амаль не захавалася.

35. Glybokaye.
Zamkavaya, now Lenin Street. Practically no old buildings have lived till today.

Asipovichy

Асіповічы

Вёска Асіповічы Бабруйскага павета пасля пабудовы ў 1903 годзе побач з ёй станцыі Ліба-ва-Роменскай чыгункі пачала фарміравацца як мястэчка. Колькасць насельніцтва ў гэты час набліжалася да 15 000 чалавек. Меліся 2 леса-пільні, шпалапрапітны завод, млын, паштова-тэлеграфнае аддзяленне, аптэчны магазін, фельчарскі пункт, двухкласная прыходская школа,

36. Вакзальная вуліца, цяпер Інтэрнацыянальная. Частка старой забудовы з правага боку захавалася.

36. Vakzalnaya, now Internatsianalnaya Street. Part of the old construction on the right has been preserved.

37. Рыначная вуліца, цяпер Гогаля.

37. Rynachnaya (Gogol) Street.

←

рынак. Забудова мястэчка вялася паабапал чыгуначнай лініі. Вуліцы, на якіх стаялі драўляныя хаты, ішлі сіметрычна, паралельна і перпендыкулярна да чыгункі.

38. Галоўная вуліца, цяпер Камуністычная.

38. Galounaya Street, today Kamunistychnaya.

39. Доўгая вуліца, цяпер Рабоча-Сялянская.

39. Dougaya Street, now Rabocha-Syalyanskaya Street.

40. Шпалапрапітны завод Лібава-Роменскай чыгункі*. Цяпер тут Клуб чыгуначнікаў (вуліца Інтэрнацыянальная).

40. Sleeper impregnation factory of the Libava-Romno railway station*. Now it houses a railwaymen club (Internatsianalnaya Street).

Babruisk

Бабруйск

Павятовы горад Мінскай губерні. Размясціўся на правым узвышаным беразе Бярэзіны ля ўпадзення ў яе ракі Бабруйкі. Першыя згадкі пра яго ў пісьмовых крыніцах адносяцца да сярэдзіны XIV стагоддзя. Меў магдэбургскае права, у 1796 годзе атрымаў герб. Па перапісе 1897 года, жыхароў налічвалася 35 177, у пачатку XX стагоддзя колькасць іх павялічылася да 40 тысяч. Праз горад пралягла Лібава-Роменская чыгунка. Меліся грузавая і пасажырская прыстані з лініямі Бабруйск—Беразіно і Бабруйск—Лоеў. Фабрык і заводаў налічвалася 15. У горадзе былі паштова-тэлеграфная кантора, 2 лазні, пажарнае таварыства, 2 бальніцы, 2 багадзельні, аптэчны магазін, 4 царквы, касцёл, мужчынская гімназія, гарадское вучылішча, 3 царкоўнапрыходскія вучылішчы, царкоўнапрыходская школа, бясплатная жаночая школа, пачатковае вучылішча, 7 прыватных навучальных устаноў.

На беразе Бярэзіны ў сутоцы яе з Бабруйкай з першай паловы XIX стагоддзя знаходзілася Бабруйская крэпасць, у якой размяшчаўся ваенны гарнізон. Цэнтральныя вуліцы горада былі забудаваны пераважна адна- і двухпавярховымі цаглянымі дамамі. На Рыначнай плошчы меліся двухпавярховыя гандлёвыя рады.

41. Чорны рынак ля гандлёвых радоў.

41. The black market near the commercial rows.

42. Жалезная брама крэпасці не захавалася.

42. The iron gate of the fortress has not survived.

43. Так выглядала вуліца К. Лібкнехта ў бок вуліцы Сацыялістычнай. Будынкі справа і цяпер стаяць, а замест плота і старых дрэў з левага боку — абласны тэатр драмы і камедыі імя В. Дуніна-Марцінкевіча.

43. This is what K.Liebknecht Street looked like when viewed in the direction of Satsialistychnaya Street. The buildings on the right are still there, whereas instead of the fence and the trees on the left now stands the Drama and Comedy theatre named after V.Dunin-Martsinkevich.

44. Агульны від на рынак і горад. Гандлёвыя рады засталіся.

44. General view of the market and town. The commercial rows are still there.

45. Сталыпінская вуліца, цяпер К. Лібкнехта. Будынкі справа захаваліся, злева ўзняўся корпус швейнай фабрыкі.

45. Stalypinskaya Street, now named after K.Liebknecht. Buildings on the right have stood till today. On the left is the new knitted-goods factory.

46. Мураўёўская вуліца, цяпер вуліца Перамогі. Захаваліся першы будынак з правага боку і двухпавярховыя на заднім плане.

46. Muraueuskaya, now Peramogi (Victory) Street. The first building on the right and the two-storeyed building in the background have been preserved.

47. Гасцініца «Бярэзіна»* на рагу Скобелеўскай і Палігоннай вуліц. Тут размяшчалася і гасцініца «Еўрапейская», а таксама паштова-тэлеграфная кантора.

47. The Hotel "Berezina"* on the corner of Skobeleuskaya and Paligonnaya Streets. The Hotel "Europeyskaya" as well as the central post-office were also located there.

48. Прыватная мужчынская гімназія Гадыцкага-Цвіркі. Знаходзілася на Шасэйнай вуліцы.

48. Public men's gymnasium run by Gadytski-Tsvirka. It was situated in Shaseinaya Street.

49. Шасэйная вуліца, цяпер Бахарава. Першы будынак з правага боку захаваўся.

49. Shaseinaya Street, now Bakharava. The first building on the right is still there.

51. Гарадское вучылішча* на вуліцы Пушкінскай (рог вуліц Пушкіна і Камсамольскай).

51. The city vocational school* in Pushkinskaya Street (now corner of Pushkin and Kamsamolskaya Streets).

←

50. Пушкінская вуліца. Назва яе захавалася па сённяшні дзень.

50. Pushkinskaya Street. It still bears its name.

52. Мінскі тракт, цяпер вуліца Мінская.

52. The Minsk highway, now Minskaya Street.

53. Мужчынская гімназія на рагу вуліц Гогаля і Пушкіна. Цяпер тут новая забудова.

53. The men's gymnasium on the corner of Gogol and Pushkin Streets. Today it is an entirely new sight.

54. Касцёл у псеўдагатычным стылі* на вуліцы Касцельнай, цяпер Кастрычніцкай. Будынак страціў прытвор і спічастую званіцу.

54. The Catholic Church of pseudo-Gothic style* in the Kastselnaya, now Kastrychnitskaya Street. The building has lost the vestibule and the speared bell-tower.

55. Пушкінская вуліца ля чыгуначнага пераезда.

55. Pushkinskaya Street near a railway crossing.

57. Аляксееўская жаночая гімназія*. Цяпер тут сярэдняя школа на вуліцы Сацыялістычнай.

57. The Alyakseyeuskaya women's gymnasium. Now it is a secondary school in Satsialistychnaya Street.

56. Мікалаеўская царква* на вуліцы Раманаўскай, цяпер Савецкай.

56. The Church of St Nicholas* in the Ramanauskaya, now Savetskaya Street.

←

58. Дэпо пажарнага таварыства* з аглядальнай вежай на даху, знаходзілася ў Пажарным завулку. У асобнай зале праходзілі выступленні гастралюючых тэатраў. Будынак збярогся і па-ранейшаму служыць пажарнай ахове горада.

58. Garage of the fire brigade* with a watch-tower on the roof was situated in Pazharny Lane. There is a special hall where touring companies staged their shows. The building still serves the city's fire authorities.

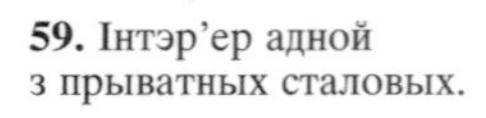

59. Інтэр'ер адной з прыватных сталовых.

59. The interior of one of public canteens.

60. Мінская брама* ў Затонным завулку.

60. The Minsk Gate* in Zatonny Lane.

61. Бярэзінскі фарштат. Такую назву меў сучасны раён горада за чыгункай у раёне вуліцы Кірава. Пераезд праз чыгунку больш не існуе.

61. The Byarezinski suburbs. This was the name of a city district beyond the railway near Kirov Street. The railway crossing exists no more.

62. Гарнізонная царква Аляксандра Неўскага*. Будынак страціў купалы і званіцу.

62. The garrison Aleksander Nevski Church*. The building has lost the domes and the bell-tower.

63. Галоўная брама Бабруйскай крэпасці. Пабудавана на беразе Бярэзіны ў пачатку XIX ст. па праекту інж.-генерала К. Опермана. У Айчынную вайну 1812 года ў крэпасці знаходзіўся з арміяй П.І. Баграціён. У 1823 годзе тут служылі будучыя дзекабрысты М.П. Бястужаў-Румін, В.С. Нораў і інш.

63. The main gate of the Babruisk fortress. It was built on the bank of the Berezina river in the early 19th century to the design of engineer Operman. During the Patriotic War of 1812 general P.Bagration and his army were deployed in the fortress. In 1823 future decemberists M.P.Bestuzhev-Rumin, V.S.Norov and others were officers here.

Бабруйск Babruisk

64. Лесапільня на Бярэзіне*. Цяпер тут прадпрыемства «Бабруйскдрэў».

64. A timber manufacturing plant on the Berezina*. Now it has turned into the Babruiskdrev factory.

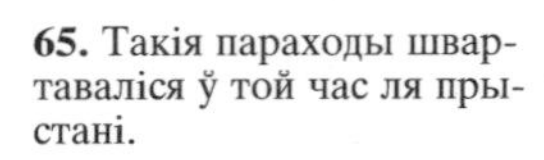

65. Такія параходы швартаваліся ў той час ля прыстані.

65. Such types of steamers moored at the local pier in those days.

66. Пасажырскі параход «Шчара».

66. Steam-liner “Schara”.

67. Чыгуначны мост праз Бярэзіну.

67. The iron bridge across the Berezina.

Baranavichy

Баранавічы

З 1884 года горад Навагрудскага павета.

Інтэнсіўна горад пачаў развівацца з адкрыццём Маскоўска-Брэсцкай і Палескай (Вільня — Роўна) чыгунак. Па перапісе 1897 года, жыхароў было 8718 чалавек. У пачатку XX стагоддзя горад становіцца буйной чыгуначнай станцыяй. Забудова вуліц у асноўным вялася драўлянымі, а ў цэнтры горада — адна- і двухпавярховымі мураванымі дамамі. Галоўныя прадпрыемствы таго часу — чыгуначнае дэпо, майстэрні, сухарны завод і казённы вінны склад. Акрамя адміністрацыйных устаноў мелася акружное акцызнае ўпраўленне, паштова-тэлеграфная кантора, 4 драўляныя царквы, касцёл, грамадскі сход (клуб), тэатр, гарадское чатырохкласнае вучылішча, чыгуначнае вучылішча, народнае вучылішча Палескай чыгункі, тры прыватныя прагімназіі і адно прыватнае вучылішча.

68. Салдаты чыгуначнай брыгады на палігоннай ветцы.

68. Soldiers of the railway regiment at the test track.

69. Від на горад у бок сухарнага завода.

69. View of the town towards the rusk-producing factory.

70. Вакзал станцыі Баранавічы Палескіх чыгунак. Пабудаваны ў 1905—1908 гадах. Разбураны ў Вялікую Айчынную вайну.

70. The Baranavichy railway station of the Palessye rail networks built in 1905—1908 and destroyed during World War II.

71. Так пачынаў забудоўвацца горад.

71. This is how the city was begun.

Баранавічы Baranavichy

72. Вакзал станцыі Баранавічы Маскоўска-Брэсцкай чыгункі. Цяпер на гэтым месцы новы вакзал Баранавічы-Цэнтральныя.

72. The Baranavichy railway station of the Moscow-Brest railroad. A new central station has replaced it today.

73. Брыгада чыгуначнікаў з батальённай майстэрні. Захаваліся некаторыя драўляныя будынкі.

73. A team of railwaymen from the batalion workshop. Certain wooden dwellings have survived.

74. Дэпо чыгуначнай брыгады.

74. The railway roundhouse.

75. Такой была цяперашняя вуліца Вільчкоўскага.

75. This is how Vilchkouski Street looked in the old days.

Баранавічы | Baranavichy

76. Марыінская вуліца, цяпер Савецкая. Захаваліся толькі мураваныя будынкі. На месцы забудовы справа зараз чатырохпавярховы жылы дом з магазінам «Тканіны».

76. Maryinskaya, now Savetskaya Street. Only the concrete buildings are still there. In the place of the old building there is a four-storeyed block with a textiles shop.

77. Грамадскі сход (клуб). Месца знаходжання не выяўлена.

77. Public meetings hall (club). The place where it stood has never been found.

Баранавічы

Baranavichy

78. Аляксандраўская вуліца ў час першай сусветнай вайны, цяпер Горкага. Захаваліся двухпавярховыя мураваныя будынкі.

78. In the years of World War I, it was Alyaksandrauskaya Street which was then renamed into Gorki Street. The two-storeyed concrete buildings are still there.

79. Вуліца Зялёная знаходзіцца непадалёку ад вакзала. Як і раней, яна патанае ў зеляніне. Дамы, ашаляваныя і пафарбаваныя, маюць зараз больш прывабны выгляд.

79. Zyalionaya Street is close to the railway station. Like before, it is very green. The houses are lath-covered and painted and look more attractive for that.

80. Адзін з першых тэатраў.

80. One of the first theatres.

81. Казённы вінны склад сухарнага завода.

81. Wine stores of the rusk-producing factory.

Баранавічы Baranavichy

82. Паштовая вуліца, цяпер Камсамольская. У другім будынку зараз знаходзіцца медыцынскае вучылішча, а на месцы лесу стаяць трох- і чатырохпавярховыя дамы.

82. Pashtovaya, now Kamsamolskaya Street. The second building now houses a medical college and where there was a forest there are three- and four-storeyed blocks.

83. Царква сухарнага завода. Знаходзілася ў раёне сённяшняй вуліцы Хлебнай.

83. The church of the rusk-producing factory. It stood where Khlebnaya Street is now.

84. Акруговае акцызнае ўпраўленне*. Будынак знаходзіцца на вуліцы Кірава.

84. The Regional Access Authority*. The building is in Kirov Street.

85. Шасэйная вуліца, цяпер Брэсцкая.

85. Shaseinaya, now Brestskaya Street.

86. Чыгуначнае вучылішча* на вуліцы Шасэйнай (рог вуліц Брэсцкай і Калініна).

86. Railway workers' college* in Shaseinaya Street (corner of Brestskaya and Kalinin Streets).

87. Паштовая вуліца ў перыяд першай сусветнай вайны, цяпер Камсамольская.

87. Pashtovaya Street during the years of World War I. Today it's called Kamsamolskaya.

Barysau

Барысаў

Павятовы горад Мінскай губерні на Бярэзіне. Упершыню ўпамінаецца ў летапісе пад 1127 годам. У 1577 годзе атрымаў магдэбургскае права, а ў 1792-ім — герб. Пасля пракладкі Маскоўска-Брэсцкай чыгункі і пабудовы вакзала на правым незаселеным беразе Бярэзіны вакол яго пачалася забудова другой часткі горада, якая атрымала назву Нова-Барысаў. Па перапісе 1897 года, жыхароў налічвалася 14 931 чалавек, а ў 1908 годзе іх стала 18 747. Ад прыстані адпраўляліся грузы па Бярэзіне і Дняпры і параходы па лініі Барысаў—Беразіно. На пачатку XX стагоддзя ў горадзе мелася 9 заводаў і фабрык з 797 рабочымі, банк, вольнае пажарнае таварыства, казначэйства, стары замак, у якім размяшчалася турма, камітэт апякунства па народнай цвярозасці, паштова-тэлеграфная кантора, земская бальніца, 2 царквы, царква-школа, касцёл, гарадское чатырохкласнае вучылішча, 3 прыходскія вучылішчы, жаночыя і мужчынскія прыходскія школы, лясная школа, прыватная мужчынская гімназія, прыватная жаночая прагімназія, 4 прыватныя пачатковыя навучальныя ўстановы. У цэнтры старога горада, на Саборнай плошчы, знаходзіўся рынак з гандлёвымі радамі.

88. Мінская вуліца, цяпер 3-га Інтэрнацыянала ў бок Камсамольскай. Будынкі злева не захаваліся, толькі гандлёвыя рады справа.

88. Minskaya Street, now named after the 3rd International, way down to Kamsamolskaya. Buildings on the left have not survived, the commercial rows on the right have.

89. Кірмаш на Саборнай плошчы. Сёння тут калгасны рынак.

89. The fair in Sabornaya (Cathedral) Square. Now it is the local market.

90. Чыгуначны вакзал. Першы драўляны будынак вакзала не захаваўся, а другі, пабудаваны з цэглы на пачатку XX стагоддзя, дзейнічае і сёння.

90. The railway station. The earlier wooden building of the station has not lived till today while the one built of clay in the early 20th century has.

91. Так выглядала цяперашняя вуліца 3-га Інтэрнацыянала ад вуліцы Камінскага да касцёла.

91. This is how the 3rd International Street looked in former days way up from Kaminski Street to the Catholic Church.

92. Касцёл*. Пабудаваны ў 1806—1823 гадах на Мінскай вуліцы. Не захавалася толькі вежа-званіца.

92. The Catholic Church* built in 1806—1823 in Minskaya Street. The bell-tower is the only item that has disappeared.

93. Гарадское вучылішча* на Міхайлаўскай вуліцы. Цяпер тут педвучылішча.

93. The city vocational school* in Mikhailauskaya Street. Today it is a teacher-training college.

94. Лепельская вуліца. Частка цяперашняй вуліцы 3-га Інтэрнацыянала ў бок Савецкай.

94. Lepelskaya Street. A part of the 3rd International Street way down to Savetskaya.

г. Борисовъ — Лепельская улица.

95. Казённы вінны склад. Знаходзіўся на праспекце Трубяцкога ў Нова-Барысаве, цяпер праспект Рэвалюцыі.

95. The public wine stores. They were situated in Trubetskoi Avenue in Nova-Barysau, today Revolution Avenue.

г. Борисовъ — Казенный винный складъ въ Новоборисовѣ.

96. Андрэеўская царква*. Драўляны будынак і цяпер стаіць на вуліцы Дзяржынскага.

96. The Church of St Andrew*. The wooden building is still in Dzerzhinski Street.

97. Васкрасенскі сабор. Пабудаваны ў 1874 годзе ў псеўдарускім стылі на Саборнай плошчы. Уваходная брама са званіцай узведзена ў 1907 годзе па праекце архітэктара Струева.

97. The Resurrection Church. It was built in 1874 in pseudo-Russian style in Sabornaya (Cathedral) Square. The entrance gate with a bell-tower was erected in 1907 to the design of architect Struev.

98. Прыватная мужчынская гімназія на Мінскай вуліцы. Была адкрыта ў 1906 годзе.

98. The public men's gymnasium in Minskaya Street was opened in 1906.

99. Запалкавая фабрыка «Вікторыя»*. Цяпер завод агрэгатаў.

99. The Victoria match factory*. Now a machine-building factory.

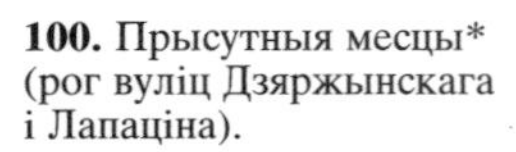

100. Прысутныя месцы* (рог вуліц Дзяржынскага і Лапаціна).

100. The local administration buildings* (corner of Dzerzhinski and Lapatsin Streets).

101. Будынак казначэйства*, пабудаваны ў 1806 годзе (вул. Лапаціна).

101. The Treasury building* erected in 1806 in Lapatsin Street.

102. Від на возера. Цяпер гэта тэрыторыя саўгаса «Стара-Барысаў».

102. View of the lake. Now it is part of the Stary Barysau Farm.

103. Юльеўская царква-школа на праспекце Трубяцкога.

103. The church-school of St Julius in Trubetskoi Avenue.

Brest

Брэст

Павятовы горад Гродзенскай губерні з 1801 года. Узнік на правым беразе ракі Мухавец ля яго ўпадзення ў раку Буг. Упершыню ўпамінаецца пад 1019 годам.

У 1390-ым атрымаў магдэбургскае права, а ў 1554-ым — герб. У 1830—1842 гадах непадалёку ад горада пабудавана Брэсцкая крэпасць. Па перапісе 1897 года, насельніцтва налічвалася 45 542 чалавек. У 1901 годзе працавала 59 дробных фабрык і заводаў. З пракладкай праз Брэст Маскоўска-Брэсцкай, Палескай і Прывіслінскай чыгунак горад стаў буйным чыгуначным вузлом тагачаснай Беларусі. У 1908 годзе тут меліся 2 бальніцы, 7 аптэк, 2 паштова-тэлеграфныя канторы, гандлёвы банк, 2 гімназіі, гарадское вучылішча, камерцыйнае вучылішча, прыватная гімназія, 2 прыватныя прагімназіі, 4 грамадскія таварыствы, шмат крамаў, гандлёвыя рады на Рыначнай плошчы. З рэлігійных будынкаў — 4 царквы, касцёл і сінагога. Месцам адпачынку гараджан стаў гарадскі сад з летнім тэатрам. Цэнтральныя вуліцы былі забудаваны пераважна двухпавярховымі мураванымі дамамі.

Горад афіцыйна называўся Брэст-Літоўск. Верагодна, каб не зблытаць з двума гарадамі такой назвы, адзін з якіх меўся ў Францыі, а другі ў Польшчы. Назва Брэст-Літоўск ішла яшчэ ад прыналежнасці горада ў свой час да Вялікага княства Літоўскага.

104. Холмска-Брэсцкі чыгуначны мост праз Мухавец.

104. The Kholmsk-Brest railway bridge across the Mukhavets.

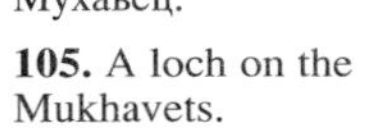

105. Шлюз на рацэ Мухавец.

105. A loch on the Mukhavets.

106. Уязная брама. Стаяла перад мостам праз чыгунку ў раёне вакзала.

106. The entrance gate. It used to stand in front of the bridge across the railway near the station.

←

107. Від на горад з пажарнай вежы.

107. View of the city from the fire tower.

108. Чыгуначны вакзал. Пабудаваны ў псеўдагатычным стылі ў 1866 годзе. Разбураўся ў першую сусветную і Вялікую Айчынную войны. Адноўлены са зменай планіроўкі і вонкавага выгляду.

108. Railway station. Built in pseudo-Gothic style in 1866. It was destroyed during the 1st and the 2nd world wars. Renovated to match the new architecture and view.

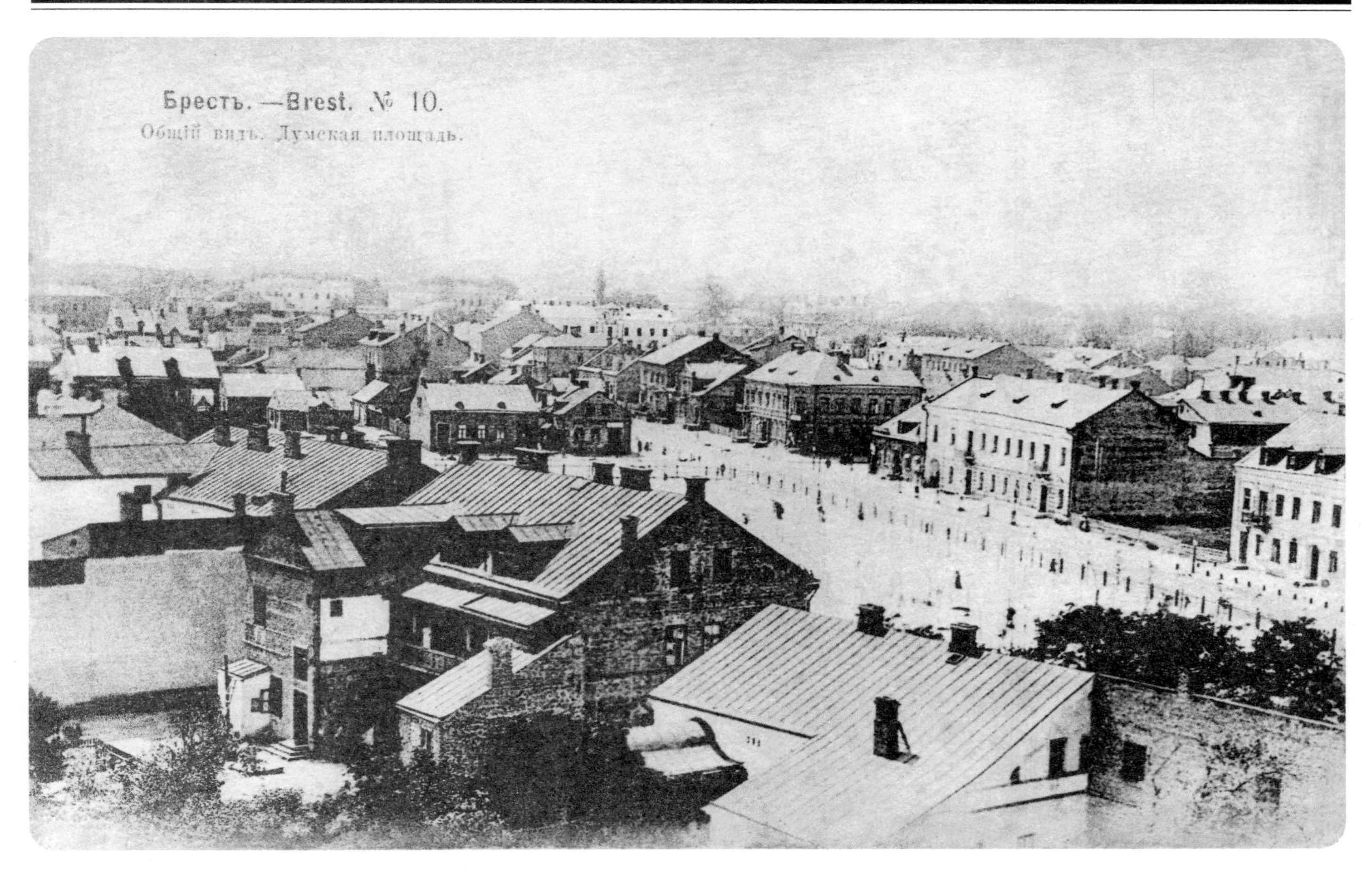

109. Думская плошча, цяпер плошча Свабоды. Від у бок вуліц Збірычоўскай (Будзённага) і Беластоцкай (Савецкіх Пагранічнікаў). Мураванкі захаваліся*.

109. Duma, now Svabody (Freedom) Square. View down to Zbirychouskaya (Budionnyi) and Bialystok (Soviet Border Guards) Streets. The stone constructions have survived*.

110. Цэнтральная чыгуначная станцыя на пачатку XX стагоддзя.

110. The central railway station in the early 20th century.

111. Думская плошча на рагу вуліцы Збірычоўскай. Адзін з прыгажэйшых будынкаў горада (на пярэднім плане) не захаваўся.

111. Duma Square on the corner of Zbirychouskaya Street. In the foreground is one of the most beautiful buildings of the town which is no longer there.

112. Збірычоўская вуліца (раён плошчы Свабоды). Дрэўцы ў скверы (злева) цяпер узняліся вышэй дахаў гэтых камяніц*.

112. Zbirychouskaya Street near Svabody (Freedom) Square. Trees in the garden on the left have by now grown taller than the roofs of the houses*.

113. Гасцініца «Брыстоль» і Зімовы тэатр*. Цяпер адзін з карпусоў Брэсцкага дзяржаўнага педагагічнага універсітэта імя Пушкіна.

113. The Hotel "Bristol" and the Winter Theatre*. Today they are part of the Brest State Teacher-Training University named after Pushkin.

114. Гандлёвыя рады на рынку. Пабудаваны ў 1842 годзе. Знаходзіліся на Гандлёвай плошчы (вуліца Маскоўская).

114. Commercial rows in the market. Built in 1842, they were located in Gandliovaya Square, Maskouskaya Street today.

115. Касцёл Святога Крыжа*, пабудаваны ў 1856 годзе. Помнік архітэктуры позняга класіцызму.

115. The Catholic Church of the Holy Cross* built in 1856. An architectural monument of the late classicism.

116. Мужчынская гімназія*, пабудавана ў 1905 годзе. Цяпер — педагагічны універсітэт імя Пушкіна на вуліцы Міцкевіча.

116. Men's gymnasium* built in 1905. Now the Pushkin Teacher-Training University in Mickiewicz Street.

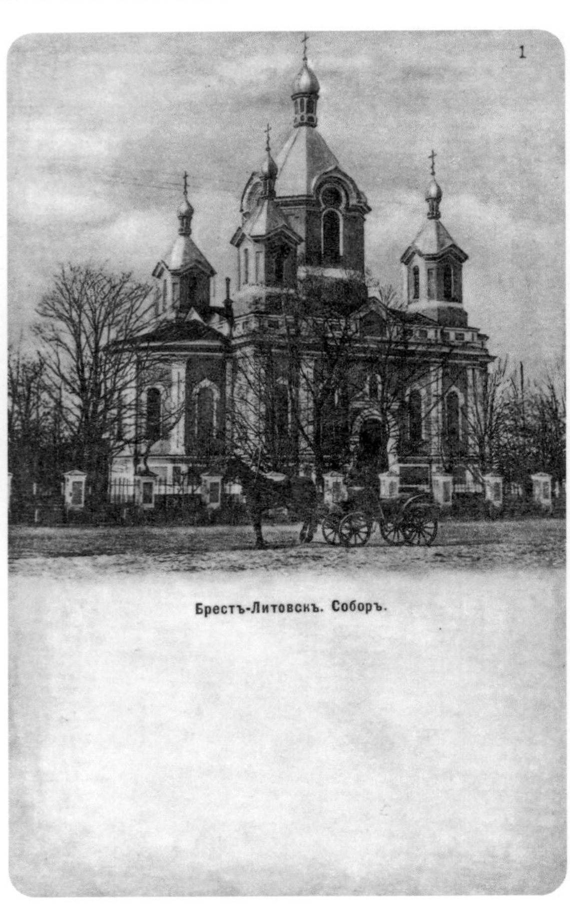

117. Сімяонаўская царква*, пабудавана ў 1865 годзе. Помнік архітэктуры псеўдарускага стылю.

117. The Church of St Simon* built in 1865. An architectural monument of pseudo-Russian style.

118. Мядовая вуліца, цяпер Карла Маркса. Будынкі захаваліся.

118. Miadovaya Street, now named after Karl Marx. The buildings are still there.

119. Брацкая царква*. Помнік архітэктуры псеўдарускага стылю, пабудавана ў пачатку XX ст.

119. The Brotherhood Church*. An architectural monument of pseudo-Russian style built in the early 20th century.

120. Брэсцкі паштамт (справа) на вуліцы Маскоўскай, дзейнічае і сёння.

120. The Brest post-office (right) is still functioning today in Maskouskaya Street.

121. Пушкінская вуліца. Назва гэта дайшла да нашага часу. Захаваўся і будынак з круглай вежай.

121. Pushkinskaya Street has retained its name to date. The building with a round tower is there too.

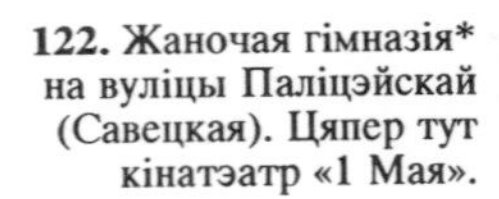

122. Жаночая гімназія* на вуліцы Паліцэйскай (Савецкая). Цяпер тут кінатэатр «1 Мая».

122. Women's gymnasium in Palitseiskaya (Savetskaya) Street. Now it houses a cinema hall named after the 1st of May.

123. Дваранская вуліца, цяпер Міцкевіча. Два аднатыпныя гарадскія асабнякі XIX ст. з класічнымі чатырохкалоннымі порцікамі*.

123. Dvaranskaya (Mickiewicz) Street. Two similar city mansions of the 19th century having four-column entrances*.

124. Сінагога на вуліцы Паліцэйскай. На яе месцы стаіць кінатэатр «Беларусь».

124. A synagogue in Palitseiskaya Street. Cinema “Belarus” now stands in its place.

125. Побач з паштамтам — казначэйства*.

125. Next to the post-office is the Treasury*.

126. Гасцініца «Гранд-Гатэль Бель-Вю» і рэстаран Мікалая. Па ўспамінах старажылаў, будынак знаходзіўся на Пушкінскай вуліцы.

126. The Hotel “Grand-Hotel Belle-Vue” and Nicholas’ restaurant. Old people say it stood in Pushkinskaya Street.

127. Гасцініца «Вікторыя» на рагу вуліц Шасэйнай і Беластоцкай.

127. The Hotel "Victoria" on the corner of Shaseinaya and Bialystok Streets.

128. Паліцэйская вуліца, цяпер Савецкая.

128. Palitseiskaya Street, now Savetskaya.

129. Горад неаднойчы цярпеў ад пажараў. Самыя вялікія былі ў 1895 і 1901 гадах.

129. The city was many a time on fire. The biggest occurred in 1895 and 1901.

130. Разбураны Брэст у час першай сусветнай вайны.

130. Brest in ruins after World War I.

131. Адзін з помнікаў драўлянага дойлідства — царква на могілках.

131. A cemetery church — one of the wooden architecture monuments.

132. Паромная пераправа.
132. Ferry crossing.

133. Буфет у гарадскім садзе.

133. A buffet in the city garden.

134. Дырыжабль «Клеман Баяр».

134. "Clement Bayar" dirigible.

Vaukavysk

Ваўкавыск

Павятовы горад Гродзенскай губерні на берагах рэк Рось і Ваўкавыя. Упершыню ўпамінаецца ў летапісе пад 1252 годам. У 1503 годзе атрымаў магдэбургскае права і герб. Па перапісе 1897 года, насельніцтва складала 10 584 чалавекі. У горадзе знаходзілася станцыя чыгуначных ліній Баранавічы—Беласток і Ваўкавыск—Седльцэ. На пачатку XX стагоддзя ў горадзе меліся 3 цагельні, 3 гарбарні, піваварны завод, тытунёвая фабрыка, 16 фабрык і бальніца, 2 аптэкі, рынак з гандлёвымі мураванымі радамі, 2 царквы, касцёл. У 1908 годзе насельніцтва павялічылася да 14 593 чалавек. Акрамя адміністрацыйных установ меліся таварыствы — пажарнае, сельскагаспадарчае, пазыка-ашчаднае, узаемнага крэдыту, аддзяленне Расійскага таварыства Чырвонага Крыжа, праваслаўнае петрапаўлаўскае брацтва, жаночая гімназія, трохкласнае гарадское вучылішча, прыходскае вучылішча, бібліятэка, 2 кнігарні, паштова-тэлеграфная кантора 4-га класа.

135. Рыначная вуліца, цяпер Леніна. Наперадзе гандлёвыя рады. Цяпер тут сквер і плошча Леніна з будынкамі універмага, раённага Дома культуры, рэстарана «Ваўкавыск».

135. Rynachnaya (Lenin) Street. In the foreground are the commercial rows which have been replaced by a mini-park and Lenin Square with the buildings of a department store, local House of Culture and "Vaukavysk" restaurant standing near by.

136. Шырокая вуліца, цяпер Леніна. Толькі Мікалаеўская царква XIX ст.* у акружэнні новых будынкаў нагадвае сёння ранейшую вуліцу.

136. Shyrokaya (Lenin) Street. Only the 19th century Church of St Nicholas* surrounded by new buildings reminds the viewer of the old street.

137. Аляксандраўская вуліца, цяпер Савецкая. Будынак з вежай — гарадская ўправа. Вежа была назіральным пунктам для пажарнай каманды.

137. Alyaksandrauskaya Street, now Savetskaya. The tower building is the City Executive Council. The tower was used by the local fire brigade.

138. Бульварная вуліца. Знаходзілася ў раёне Рыначнай плошчы. Цяпер гэта частка вуліцы Савецкай і плошчы Леніна.

138. Bulvarnaya Street lay near Rynachnaya (Market) Square. Today it is part of Savetskaya Street and Lenin Square.

139. Чыгуначны вакзал Ваўкавыск-Цэнтральны. Пабудаваны ў пачатку XX ст. Неаднаразова падвяргаўся разбурэнню. Пасля Вялікай Айчыннай вайны адноўлены.

139. The central railway station in Vaukavysk built in the early 20th century. It was regularly destroyed and was finally restored after World War II.

140. Алея ў маёнтку Патрашоўцы. Знаходзілася на ўскраіне горада непадалёку ад станцыі Ваўкавыск-Цэнтральны. Захавалася частка алеі са старымі таполямі ў раёне вуліцы Кастрычніцкай.

140. An alley in Patrashoutsy estate lay on the city outskirts close to the Vaukavysk central railway station. Part of the alley with the old poplars near Kastrychnitskaya Street is still there.

141. На Дваранскай вуліцы (цяпер Баграціёна) жыла багатая шляхта. У адным са старых будынкаў з калонамі, які захаваўся, у час вайны 1812 года размяшчалася штаб-кватэра Баграціёна.

141. Rich gentry used to live in Dvaranskaya (Bagration) Street. The headquarters of general Bagration were stationed in one of the old buildings with columns which survived the 1812 War.

142. Жаночая гімназія знаходзілася на Лазарэтнай гары (цяпер гара на вуліцы Школьнай).

142. The women's gymnasium stood on the Lazaretnaya hill, now the hill in Shkolnaya Street.

143. Касцёл Вацлава*. Пабудаваны ў стылі класіцызму ў 1846—1848 гадах. Стаіць на вуліцы К. Маркса з надбудаванымі ў 1930 годзе вежамі па баках франтона. Захавалася таксама ніжняя частка званіцы і ўваходная брама.

143. The Catholic Church of St Vaclavas*, built in classic style in 1846—1848. Today it stands in K.Marx Street and has towers on the right and left of the entrance erected in 1930. The lower part of the bell-tower and the entrance gate have also been preserved.

Vileika

Вілейка

Павятовы горад Віленскай губерні на Віліі, вядомы з 1599 года. Меў магдэбургскае права, у 1796 годзе атрымаў герб. Па перапісе 1897 года, жыхароў налічвалася 3552 чалавекі, у 1909-ым колькасць іх павялічылася да 4147. У горадзе працавалі бровар і фабрыка штучных мінеральных водаў, налічвалася 119 рамеснікаў. Мелася гарадская бальніца, 2 царквы, касцёл, паштова-тэлеграфная кантора 4-га класа, акцызнае ўпраўленне, казначэйства, камітэт апякунства па народнай цвярозасці, гарадское чатырохкласнае вучылішча, двухкласнае прыходскае вучылішча, пажарнае таварыства, гарадскія і павятовыя адміністрацыйныя ўстановы.

144. Від на раку Вілію і горад.

144. View of the Vilia river and town.

145. Георгіеўская плошча (плошча Свабоды).

145. Georgieuskaya, now Svabody (Freedom) Square.

←

Vitsebsk

Віцебск

З 1802 года губернскі горад. Размясціўся на берагах Заходняй Дзвіны і яе прытока Віцьбы. У 1597 годзе атрымаў магдэбургскае права і герб. Па перапісе 1897 года, жыхароў было 65 871 чалавек, у 1907-ым колькасць іх павялічылася да 90 590 чалавек. З даўніх часоў меў гандаль на Дзвіне з Рыгай і з гарадамі Еўропы. Пасажырская параходная прыстань мела лініі Віцебск—Дзвінск (Даўгаўпілс) і Віцебск—Веліж. Прайшоўшыя праз горад чыгункі Рыга-Арлоўская і Санкт-Пецярбург—Жлобін спрыялі інтэнсіўнаму эканамічнаму развіццю горада на пачатку XX стагоддзя.

146. Гарадскі тэатр знаходзіўся на плошчы каля Смаленскага рынку (плошча Леніна). Зараз тут будынак Палаца культуры.

146. The city theatre was situated in the centre near the Smolensk market (Lenin Square). The Palace of Culture is there now.

У 1909 годзе тут мелася 67 фабрык і заводаў, водаправод, электрастанцыя і трамвайная лінія, 13 цэркваў, мужчынскі манастыр, 3 касцёлы, лютэранская кірха, некалькі сінагог і малітоўных дамоў. У 1914 годзе ў Віцебску было 6 банкаў, губернская бальніца, багадзельня, 2 заязныя двары, тэатр, 3 друкарні. Дзяржаўных навучальных устаноў налічвалася 38, у тым ліку 3 гімназіі, рэальнае вучылішча, камерцыйнае вучылішча, 3 прыватныя гімназіі, прыватная прагімназія, духоўная семінарыя, настаўніцкі інстытут і аддзяленне Маскоўскага археалагічнага інстытута. У гэты час налічвалася каля 40 грамадскіх таварыстваў, 9 бібліятэк і чытальняў, 20 гасцініц. Забудова цэнтральных вуліц горада складалася з двух-трохпавярховых мураваных дамоў. Своеасаблівы сілуэт горада стваралі вежы цэркваў, касцёлаў, пажарная вежа і ратушы.

147. Віцебскі вакзал. У Вялікую Айчынную вайну быў разбураны. На яго месцы стаіць новы, узведзены ў 1954 годзе.

147. The Vitsebsk railway station. It was destroyed in the years of World War II and replaced by a new one erected in 1954.

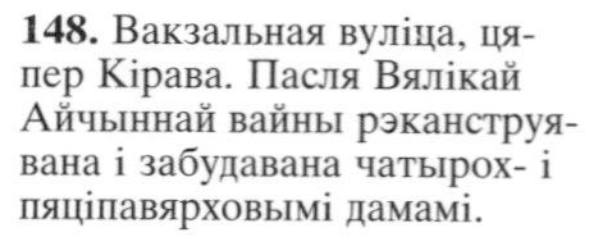

148. Вакзальная вуліца, цяпер Кірава. Пасля Вялікай Айчыннай вайны рэканструявана і забудавана чатырох- і пяціпавярховымі дамамі.

148. Vakzalnaya (Kirov) Street. It was rebuilt after the World War II and new 4- and 5-storeyed blocks have grown up there.

149. Драўляная аглядальная пажарная вежа стаяла на правым беразе Заходняй Дзвіны.

149. The wooden fire watchtower stood on the right bank of the Zapadnaya Dvina.

Віцебск Vitsebsk

150. На левым беразе за мостам знаходзілася Аляксееўская жаночая гімназія (справа).

150. The Alyakseyeuskaya women's gymnasium was on the left side of the river behind the bridge (right).

151. Залом плытоў пад мостам. Беларускі мачтавы лес з даўніх часоў сплаўляўся па Заходняй Дзвіне да Рыгі, а адтуль пастаўляўся ў Заходнюю Еўропу.

151. Rafts piling under a bridge. The Belarusian mast wood had always been rafted down the Zapadnaya Dvina to Riga and further to Western Europe.

152. Від на Задзвінскую слабаду. Непадалёку ад моста стаяла мураваная Сімяонаўская (Богаяўленская) царква. За ёю на вуліцы Мікольскай — Мікалаеўская (батальённая) царква, насупраць — лютэранская кірха.

152. View of the Trans-Dzvina settlement. Hard by the bridge stood a stone Church of St Simon (Epiphany). Behind it, in Mikolskaya Street was the Church of St Nicholas (Batalionnaya) and a Lutheran Church opposite it.

153. Старая прыстань на Заходняй Дзвіне.

153. The old pier on the Zapadnaya Dvina.

154. Замкавая вуліца. З левага боку гасцініца «Брыстоль». Справа старажытны помнік архітэктуры Беларусі XII стагоддзя — Благавешчанская царква. Захаваліся толькі яе рэшткі.

154. Zamkavaya Street. On the left is the Hotel "Bristol". On the right — the Annunciation Church, a Belarusian 12th century architecture monument.

155. Мужчынская гімназія. Знаходзілася на вуліцы Пушкінскай насупраць цяперашняга будынка Беларускага дзяржаўнага акадэмічнага тэатра імя Якуба Коласа. У гімназіі працавалі гісторык і краязнавец А. Сапуноў, фальклярыст С. Сахараў.

155. The men's gymnasium was situated in Pushkinskaya Street, in front of the modern Belarusian Yakub Kolas Academic Theatre. The historian and local life researcher A.Sapunou and folk-lore researcher S.Sakharau used to work at the gymnasium.

←

156. Акруговы суд* і від на Смаленскую вуліцу (Леніна). Будынак суда — помнік архітэктуры XIX ст.

156. The Regional Court* and view of Smalenskaya (Lenin) Street. The court building is an architectural monument of the 19th century.

157. Духоўная семінарыя і Успенскі сабор. Семінарыя размяшчалася на левым беразе Заходняй Дзвіны ля ўпадзення ў яе Віцьбы ў былым будынку базыльянскага кляштара XVIII ст. У ёй працаваў выкладчыкам гісторык і археограф Д. Даўгяла. Скончыў семінарыю фальклaрыст, педагог, вядомы дзеяч беларускага адраджэння ў Латвіі С. Сахараў. Побач з ёй Успенскі сабор, помнік класіцызму XVIII ст., які да нашых дзён не захаваўся.

157. The Church Seminary and the Ascension Cathedral.The Seminary stood on the left bank of the Zapadnaya Dvina where the Vitsba falls into it, in the former 18th century Monastery of St Basil. D.Daugiala, the historian and archeographer, used to work in it. S.Sakharau, the local lore scholar, teacher and activist of the Belarusian Renaissance in Latvia graduated from the Seminary. Next to the Seminary is the 18th century Ascension Cathedral, a classicism monument which has not lived till today.

158. Мікалаеўскі кафедральны сабор. Былы касцёл езуіцкага кляштара, помнік архітэктуры XVII—XIX стст. Знаходзіўся на Саборнай плошчы насупраць акруговага суда.

158. The Cathedral of St Nicholas, formerly the Catholic Church of the Jesuitical Monastery, an architectural monument of the 17th—19th centuries. It was located in Sabornaya (Cathedral) Square opposite the Regional Court.

159. Гасцініца «Брозі». Стаяла на Смаленскай вуліцы за Каменным мостам.

159. The Hotel "Brozi" stood in Smalenskaya Street behind the Stone bridge.

160. Касцёл святога Антонія бернардзінскага кляштара, знаходзіўся на Васкрасенскай плошчы.

160. The Bernardine Monastery Catholic Church of St Antonius was situated in Vaskrasenskaya Square.

←

161. Васкрасенская плошча, цяпер вуліца Леніна. Злева — Васкрасенская уніяцкая царква. Побач, у будынку ратушы, размясціліся уніяцкая царква, гарадская дума, управа і банк. Зараз у былой ратушы абласны краязнаўчы музей.

161. Vaskrasenskaya Square, now Lenin Street. On the left was the Resurrection Unia Church. In the building next to it were the Town Duma, the Town Executive Council and a bank. Now the building of the former City Hall houses the Museum of Local Studies.

162. Мужчынскае духоўнае вучылішча. Знаходзілася на рагу вуліц Сувораўскай і 1-ай Ветранай (Чэхава). Пасля кастрычніцкай рэвалюцыі 1917 года ў будынку размяшчаліся мастацкія навучальныя ўстановы, у якіх выкладалі многія вядомыя мастакі Беларусі. Помнік архітэктуры позняга класіцызму XIX ст.

162. The Men's Theological Seminary stood on the corner of Suvorauskaya and the 1st Vetranaya (Chekhov) Streets. After the October revolution of 1917 it housed various fine arts educational establishments where many prominent Belarusian artists worked. Now it's a 19th century late classicism monument.

163. Прыватныя жаночыя гімназія* і камерцыйнае вучылішча* (вул. Леніна, д. 33, 35).

163. The public women's gymnasium* and the commercial school* (33, 35, Lenin Street).

164. Смаленская вуліца, цяпер Леніна.

164. Smalenskaya (Lenin) Street.

165. Помнік героям Айчыннай вайны 1812 года*. Пастаўлены ў 1912 годзе з чырвонага граніту вышынёй 26 метраў насупраць дома губернатара.

←

165. Monument to the 1812 Patriotic War heroes*. Erected in 1912, it's a 26-meter high edifice made of red granite that stood opposite the Governor's house.

166. Кандытарская крама «Жан Альбер». Знаходзілася на рагу вуліцы Талстога і Васкрасенскай плошчы.

166. Confectionary shop "Jean Albert" stood on the corner of Tolstoi Street and Vaskrasenskaya Square.

167. Падзвінская вуліца, цяпер Талстога. Будынак справа — камерцыйнае вучылішча і таварыства купецкіх прыказчыкаў*.

167. Padzvinskya (Tolstoi) Street. On the right is the commercial school and the society of merchants*.

168. Смаленская вуліца, цяпер Леніна.

168. Smalenskaya (Lenin) Street.

169. Саборная плошча і Гогалеўская вуліца. З левага боку Мікалаеўскі кафедральны сабор, з правага — акруговы суд.

169. Sabornaya (Cathedral) Square and Gogaleuskaya Street. On the left is the Cathedral of St Nicholas, on the right — the Regional Court.

170. Вуліца Смаленская. Здымак з ратушы. У будынку з калонамі знаходзілася рэдакцыя газеты «Витебские губернские ведомости».

170. Smalenskaya Street photographed from the City Hall. The building with columns housed The Vitsebsk Regional News newspaper editorial board.

171. Маскоўскі міжнародны банк*. Будынак захаваўся на цяперашняй вуліцы Талстога.

171. The Moscow International Bank*. The building is still there in Tolstoi Street.

172. Прыватная мужчынская гімназія І. Неруша і настаўніцкі інстытут. Тут працавалі вядомыя людзі — этнограф і фальклярыст М. Нікіфароўскі і фальклярыст С. Сахараў. Скончыў гэты інстытут вядомы беларускі ваенны і палітычны дзеяч, вучоны, паэт, беларускі адраджэнец у Латвіі К. Езавітаў. Будынкі на вуліцы Леніна захаваліся.

172. The public men's gymnasium run by I.Nerush and the teacher-training college. Prominent people used to work here: ethnographer and folk-lore researcher M.Nikifarouski, folk-lore researcher S.Sakharau. Among the graduates of the college is K.Yezavitau, a well-known Belarusian military commander and political figure, scholar and poet, a Belarusian enlightener in Latvia. The buildings in Lenin Street are still there.

173. Сялянскі пазямельны банк* (вул. Леніна, 18).

173. The Rural Land Bank* (18, Lenin Street).

174. Марыінская жаночая гімназія. Знаходзілася за Замкавым ручаём (цяпер яр).

174. The Maryinskaya women's gymnasium. It was located behind the Zamkavy creek that has turned into a ravine.

175. Сувораўская вуліца ў сваім пачатку каля ратушы. Назва вуліцы і забудова з левага боку захаваліся.

175. Suvorauskaya Street's beginning near the City Hall. The name of the street and the building on the left have been preserved.

176. Прыватнае камерцыйнае вучылішча. Знаходзілася на Дварцовай вуліцы.

176. The public commercial school. It was situated in Dvartsovaya Street.

177. Сувораўская вуліца. Першы справа — будынак сінагогі. Не захаваўся.

177. Suvorauskaya Street. On the extreme right is the building of a synagogue which has not survived.

178. Канатная вуліца, цяпер Дзімітрава.

178. Kanatnaya, now Dimitrov Street.

179. Дварцовая вуліца, цяпер Савецкая. З правага боку, пачынаючы з другога дома, будынкі захаваліся.

179. Dvartsovaya Street, now Savetskaya. Buildings on the right-hand side starting from the second one have remained.

180. Елагская вуліца, цяпер Някрасава. З мураванымі карпусамі чыгуначнай бальніцы замест драўляных хат.

180. Yelagskaya, now Nekrasov Street. Today the wooden houses have been replaced by concrete buildings of the hospital for railway men.

181. Губернатарскі бульвар. Цяпер сквер, дзе размешчаны вайсковыя могілкі.

181. Gubernatarski Boulevard. Now there is a mini-park with graves of fallen soldiers.

182. Палац губернатара* (вуліца Савецкая). Помнік архітэктуры класіцызму XVIII ст. У 1812 годзе у ім знаходзілася штаб-кватэра Напалеона. Тут у 1853—1854 гадах быў віцэ-губернатарам рускі пісьменнік І. Лажэчнікаў.

182. The Governor's house* (Savetskaya Street). A classicism architecture monument of the 18th century. It served as headquarters for Napoleon in 1812. The Russian writer I.Lazhechnikov was the Governor here in 1853—1854.

←

183. Касцёл святой Варвары* (1785). Перабудаваны ў XIX ст. у стылі неаготыкі на Гарадоцкай шашы* (вул. Ленінградская).

183. The Catholic Church of St Barbara* (1785). Reconstructed in the 19th century to match the neo-Gothics in Garadotskaya Highway (Leningradskaya Street).

184. Жаночае духоўнае вучылішча* на Духаўскай гары, зараз вуліца Гогаля. Цяпер у будынку аблвыканкам.

184. The women's church school* on Dukhauskaya (Holy) Gara, now Gogol Street. Today it houses the regional executive council.

185. Духаўскі завулак атрымаў назву ад царквы, якая тут знаходзілася. Цяпер Авіяцыйны.

185. Dukhauski (Holy) Lane was named after a church which stood there. Now it's called Aviatsyiny Lane.

Glusk

Глуск

Мястэчка Бабруйскага павета Мінскай губерні на рацэ Пціч. Вядома з пісьмовых крыніц другой паловы XV стагоддзя. У пачатку XX стагоддзя жыхароў налічвалася больш за 5 тысяч. У Глуску ў гэты час меліся 3 гарбарныя заводы, бальніца, валасная ўправа, паштова-тэлеграфная кантора, 2 царквы, касцёл, сінагога, 5 малітоўных дамоў, гарадское чатырохкласнае вучылішча, 2 народныя вучылішчы, 2 прыходскія школы, рынак і мноства крамаў. Вуліцы складаліся з невялікіх драўляных хат і больш нагадвалі вёску. Толькі дашчаты тратуар напамінаў аб тым, што гэта вялікае мястэчка.

186. Шасэйная вуліца, цяпер Савецкая. Сёння мае больш прывабны выгляд.

186. Shaseinaya Street, now Savetskaya. It looks much more attractive nowadays.

187. Бабруйская вуліца, цяпер Жыжкевіча. Мураваны дом захаваўся.

187. Babruiskaya (Zhyzhkewich) Street. The stone building is still there.

←

Glybokaye

Глыбокае

Мястэчка Дзісненскага павета Вілейскай губерні каля возера Глыбокае. Упершыню ўпамінаецца пад 1514 годам. Насельніцтва ў пачатку XX стагоддзя было больш за 7 тысяч. Забудова пераважна драўляная, акрамя цэнтральных вуліц. У мястэчку меліся царква, касцёл, сінагога, некалькі малітоўных дамоў, паштова-тэлеграфная кан-

188. Замкавая вуліца, цяпер Леніна.

188. Zamkavaya, now Lenin Street.

189. Беразвецкі кляштар базыльян XVII ст.* Царква кляштара імя Раства Багародзіцы (1763) пабудавана ў стылі віленскага барока.

189. The 17th century Berazvets Monastery of St Basil's followers*. The Church of the Nativity of the Virgin Monastery was built in 1763 according to the Wilno baroque.

←

тора, прыёмны пакой фельчара і павітухі, пажарнае таварыства, лаўкі і майстэрні рамеснікаў, гарадское чатырохкласнае вучылішча, якое ў 1913 годзе было пераўтворана ў вышэйшае пачатковае вучылішча. Непадалёку ад горада знаходзіўся Беразвецкі кляштар базыльян.

190. Рынachная плошча, цяпер
Леніна. Замест старых бу-
дынкаў зараз тут універмаг
і дзяржаўныя ўстановы.

190. Rynachnaya (Market),
now Lenin Square. The old
buildings have been replaced
by a department store and
public institutions.

191. Мястэчка Глыбокае ча-
соў першай сусветнай вайны.
Троіцкі касцёл пабудаваны
ў 1764—1782 гадах* у стылі
позняга барока.

191. The town of Glybokaye
at the times of World War I.
The Holy Trinity Catholic
Church built in 1764—1782*
in the late baroque style.

192. Докшыцкая вуліца,
цяпер Маскоўская. Старая
забудова тут часткова
засталася.

192. Dokshytskaya (Maskou-
skaya) Street. Some of the
old buildings are still there.

Gomel

Гомель

Павятовы горад Магілёўскай губерні з 1852 года. Размясціўся на правым высокім беразе ракі Сож. Упершыню ўпамінаецца пад 1142 годам. Меў магдэбургскае права. У 1856 годзе атрымаў гарадскі герб. Па перапісе насельніцтва 1897 года, налічвалася 36 846 чалавек. Параходная грузавая прыстань і адкрыццё чыгуначнай станцыі Палескай і Лібава-Роменскай чыгунак пашырылі гандлёвыя сувязі і спрыялі хуткаму экана-

193. Замкавая вуліца, цяпер праспект Леніна.

193. Zamkavaya Street, now Lenin Avenue.

194. Чыгуначны вакзал. У перыяд Вялікай Айчыннай вайны быў разбураны. Цяпер на яго месцы новы, двухпавярховы.

194. The railway station. It was destroyed during World War II and later replaced by a two-storeyed building.

←

мічнаму развіццю горада. У 1908 годзе насельніцтва павялічылася да 79 107 чалавек, намнога абагнаўшы па яго колькасці губернскі горад Магілёў. У пачатку XX стагоддзя фабрык, заводаў і іншых прамысловых прадпрыемстваў налічвалася 112 з 940 рабочымі. У горадзе меліся электрастанцыя, 5 банкаў, бальніца, 2 прытулкі, 10 аптэк і аптэчных крамаў, 2 дзіцячыя сады, 2 гімназіі, духоўнае камерцыйнае вучылішча, 6 царкоўнапрыходскіх школ, 6 прыватных навучальных устаноў, 7 цэркваў, касцёл, тыпалітаграфія, 6 друкарняў, 4 кнігарні, 11 фа-

195. Вочная лякарня, знаходзілася на Замкавай вуліцы. Цяпер на гэтым месцы на рагу праспекта Леніна і вуліцы Першамайскай жылы дом.

195. Eye clinic that stood in Zamkavaya Street. Now there is a dwelling house on the corner of Lenin Avenue and Pershamaiskaya Street.

196. Чыгуначныя майстэрні. Зараз тут вагонарамонтны завод.

196. Railway workshops which have later been replaced by a wagon repair factory.

←

таграфій, 3 бібліятэкі, 2 тэатры нямога кіно, 23 гасцініцы. Цэнтр горада вызначаўся сваёй мадэрнавай мураванай забудовай, у большасці з двух- і трохпавярховых дамоў. Асноўным месцам адпачынку гараджан з'яўляўся парк на высокім беразе Сожа з палацам князя Паскевіча і саборам Пятра і Паўла.

197. І сёння дзейнічае былы Руска-Азіяцкі банк* на рагу вуліц Румянцаўскай (Савецкай) і Барона Нолькена (Ланге).

197. The Russian-Asian Bank* on the corner of Rumiantsauskaya (Savetskaya) and Baron Nolken (Lange) Streets is still there.

198. Таўкучка на Саборнай плошчы. Цяпер тут размясціўся драматычны тэатр.

198. The second-hand market in Sabornaya (Cathedral) Square. The drama theatre is there now.

199. Так выглядала цяперашняя вуліца Працоўная.

199. This is how Pratsounaya Street looked in the old days.

200. Румянцаўская вуліца. Першы будынак не збярогся, у другім, трохпавярховым, зараз музычнае вучылішча імя Сакалоўскага. Астатнія дамы таксама захаваліся.

200. Rumiantsauskaya Street. The first building has gone, the second, three-storeyed, now houses a music school named after Sakalouski. The other houses also remain.

201. Вуліца Румянцаўская. Двухпавярховы будынак (на першым плане) стаяў да пабудовы на гэтым месцы гасцініцы «Савой». За ім два трохпавярховыя будынкі збераглися.

201. Rumiantsauskaya Street. The two-storeyed building in the foreground was later replaced by the Hotel "Savoy". Behind it are two three-storeyed buildings that are still there.

202. Аб'яднаны банк* на рагу вуліц Румянцаўскай і Ірынінскай (Савецкай і Першамайскай). Пабудаваны ў 1904 годзе ў стылі мадэрн. Зараз у ім упраўленне Дзяржстраха і іншыя ўстановы.

202. The United Bank* on the corner of Rumiantsauskaya and Iryninskaya Streets (Savetskaya and Pershamaiskaya) built in 1904 in modernist style. Now it houses insurance administration and other institutions.

203. Румянцаўская вуліца. Гандлёвыя рады з левага боку не захаваліся. У будынку справа размяшчалася гарадская дума*. У 1935 годзе надбудаваны трэці паверх. Зараз тут фабрыка «Палесдрук».

203. Rumiantsauskaya Street. The commercial rows on the left are gone. The building on the right housed the city parliament*. In 1935 a third storey was added to it and now it houses the "Palesdruk" printing factory.

204. Па звестках старажылаў, цэнтральная лазня знаходзілася на правым баку Фельдмаршальскай вуліцы.

204. Old people say that the central bath-house was at the right-hand end of Feldmarshalskaya Street.

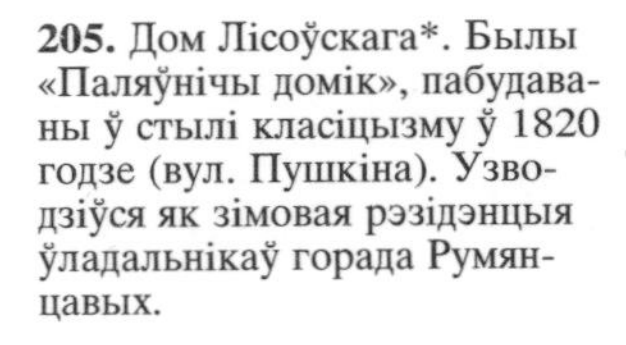

205. Дом Лісоўскага*. Былы «Паляўнічы домік», пабудаваны ў стылі класіцызму ў 1820 годзе (вул. Пушкіна). Узводзіўся як зімовая рэзідэнцыя ўладальнікаў горада Румянцавых.

205. Lisouski's house*, formerly Hunter's house built in the classicism style in 1820 (Pushkin Street). It was initially designed as a winter residence of the Rumiantsevs who were the city owners.

206. Праабражэнскае жаночае вучылішча на Ірынінскай вуліцы, цяпер Першамайская.

206. The women's Transfiguration gymnasium in Iryninskaya Street, now Pershamaiskaya.

207. Духоўнае вучылішча*. Помнік архітэктуры класіцызму XVIII—XIX стст. (вул. Білецкага).

207. The Church school*. Classicism architecture monument of the 18th — 19th centuries (Biletski Street).

208. Галоўны паштамт. Будынак знаходзіўся на вуліцы Румянцаўскай, непадалёку ад Аляксандраўскай, цяпер Камсамольскай.

208. The central post-office was located in Rumiantsauskaya Street, close to Alyaksandrauskaya (Kamsamolskaya) Street.

209. Троіцкая царква, знаходзілася на рагу вуліц Румянцаўскай і Троіцкай, цяпер Сялянская.

209. The Holy Trinity Church stood on the corner of Rumiantsauskaya and Troitskaya (Sialianskaya) Streets.

210. Мужчынская гімназія*. Пабудавана ў 1898 годзе на рагу вуліц Аляксандраўскай (Камсамольская) і Магілёўскай (Кірава). У 1905—1914 гадах тут вучыўся будучы вядомы авіяканструктар П.О. Сухі. Цяпер гэта корпус Інстытута інжынераў чыгуначнага транспарту.

210. The men's gymnasium* built in 1898 is on the corner of Alyaksandrauskaya (Kamsamolskaya) and Magileuskaya (Kirov) Streets. In 1905 — 1914 P.Sukhoi, a future prominent aircraft designer was a student here. Now it is the building of the Institute of Railway Engineers.

211. Віленскі банк* (рог вуліц Савецкай і Сялянскай). Пабудаваны ў 1901 годзе. У гэтым будынку цяпер розныя ўстановы.

211. The Wilno Bank situated on the corner of Sialianskaya and Savetskaya Streets was built in 1901. Today various institutions function there.

212. Параходная прыстань. Знаходзілася на правым беразе Сожа насупраць палаца Паскевіча. Цяпер тут набярэжная з прычалам для пасажырскіх цеплаходаў.

212. The boat pier. It was located on the right bank of the Sozh opposite the Paskevich palace. Now passenger liners moor here.

213. Бронзавы помнік князю Юзафу Панятоўскаму. Выкананы дацкім скульптарам Торвальдсенам. Стаяў на адной з тэрас у парку Паскевіча. У 1922 годзе помнік вернуты ў Польшчу. У Варшаве ён прастаяў да Вялікай Айчыннай вайны. Гітлераўцы вывезлі скульптуру ў Германію і там яе пераплавілі.

213. A bronze monument to prince I. Paniatouski. It was made by a Danish sculptor Tarvaldsen and stood on one of the terraces in the Paskevich park. In 1922 the monument was moved to Poland and stood in Warsaw till World War II. The nazis took it to Germany and smelted it.

214. Помнік удзельніку Айчыннай 1812 года і руска-турэцкай войнаў генералу-фельдмаршалу І.Ф. Паскевічу. Знаходзіўся ў парку яго імя, цяпер парк культуры і адпачынку імя Луначарскага.

214. The monument to general-fieldmarshall I.F.Paskevich, participant of the 1812 and Russian-Turkish wars. It was located in the park bearing the name of the prominent man. Now the park is named after Lunacharski.

Гомель Gomel

215. Палац князя Паскевіча*. Пабудаваны ў стылі класіцызму. Галоўны корпус узведзены ў 1777—1796 гадах. Гаспадарамі яго былі генерал-фельдмаршал П.А. Румянцаў-Задунайскі і І.Ф. Паскевіч. Пры апошнім была надбудавана трох’ярусная вежа, у якой на пачатку нашага стагоддзя знаходзілася калекцыя батальных карцін беларускага мастака Я.І. Сухадольскага.

215. The prince Paskevich palace*. It was built in classic style and owned by generalfieldmarshall P.A.Rumiantsev-Zadunaiski and I.F.Paskevich. When it was owned by the latter a three-tier tower was added to it where a collection of battle pictures by the Belarusian artist Y.I.Sukhadolski was kept in the early 20th century.

←

→

216. Першае спартыўнае збудаванне горада — веласіпедны трэк вольнага пажарнага таварыства, знаходзіўся ў Максімаўскім парку. Тут былі летняя эстрада і клуб. Цяпер на гэтым месцы стадыён завода «Гомсельмаш».

216. The city’s first sports facility — a cycling track owned by the local fire brigade was located in the Maximauski park next to the summer stage and club. Later the Gomselmash factory stadium was erected here.

217. Стаянка ў Гомелі ў час аўтамабільнай гонкі С.-Пецярбург—Масква—Кіеў—С.-Пецярбург у 1910 годзе.

217. The parking area in Gomel during the 1910 car race St Petersburg—Moscow— Kiev — St Petersburg.

Gorky

Горкі

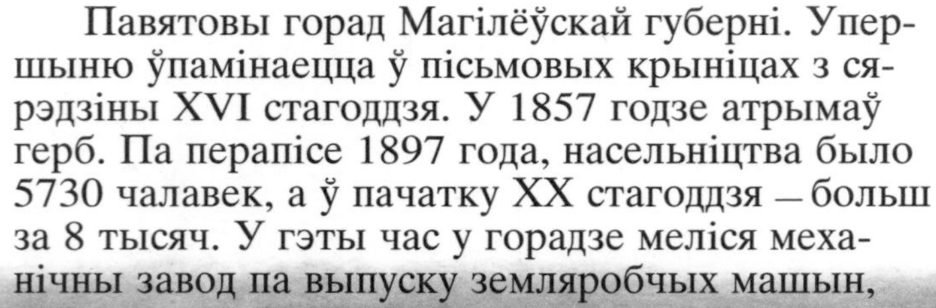

Павятовы горад Магілёўскай губерні. Упершыню ўпамінаецца ў пісьмовых крыніцах з сярэдзіны XVI стагоддзя. У 1857 годзе атрымаў герб. Па перапісе 1897 года, насельніцтва было 5730 чалавек, а ў пачатку XX стагоддзя – больш за 8 тысяч. У гэты час у горадзе меліся механічны завод па выпуску земляробчых машын, конныя заводы — усяго каля 30 прамысловых прадпрыемстваў. Тут знаходзіліся паштова-тэлеграфная кантора, казначэйства, вольнае пажарнае таварыства, дваранскі дэпутацкі сход, 4 лячэбніцы, аптэка, 4 царквы, 7 малітоўных дамоў, 5 грамадскіх таварыстваў, земляробчае вучылішча, землямерна-агранамічнае вучылішча, таксатарскія класы, сельскагаспадарчая ферма, 4 царкоўнапрыходскія школы, друкарня, бібліятэка, 3 кнігарні, 2 фатаграфіі, 4 гасцініцы. Забудова горада была пераважна драўляная.

218. Так выглядаў раней жылы раён Зарэчча. Сёння тут праходзяць вуліцы маршала-земляка Якубоўскага і Матросава, якія вядуць да вакзала.

218. This is how the residential district Zarechye looked in the old days. The Marshall Yakubousky and A.Matrosov Streets are here today leading to the railway station.

219. Каморніцка-агранамічнае вучылішча*. Адкрыта ў 1840 годзе як земляробчая школа ў маёнтку Горы-Горкі. З 1842 года — вышэйшая сельскагаспадарчая школа, з 1848-га — першы ў краіне земляробчы інстытут. Пасля паўстання 1863—1864 гадоў інстытут быў закрыты, а ў 1919-ым зноў пачаў дзейнічаць. Цяпер гэта фізіка-хімічны корпус Беларускай сельскагаспадарчай акадэміі.

219. The land surveyor and agronomist school*. It was opened in 1840 as a farmer's school in Gory-Gorki estate. In 1842 it was turned into an agricultural school and in 1848 into the country's first agricultural institute. After the insurrection of 1863—1864 it was closed and reopened in 1919. Today it houses the physics-chemistry faculty of the Belarusian Agricultural Academy.

Горкі Gorki

220. Паштовая вуліца, цяпер Леніна. У першым двухпавярховым будынку* знаходзілася пошта, а ў наступным — банк. Будынак пошты аднаўлены, але без другога паверха, у ім цяпер стаматалагічная паліклініка.

220. Pashtovaya (Lenin) Street. The first two-storeyed building housed a post-office and the second building was a bank. The post-office has been rebuilt without the second floor and turned into a dental polyclinic.

221. Аршанская вуліца, цяпер Якубоўскага.

221. Arshanskaya, now Yakubouski Street.

222. Вучэбны корпус таксатарскіх класаў каморніцка-агранамічнага вучылішча* (вул. Ціміразева).

222. One of the buildings of the land surveyor and agronomist school* in Tsimiryazev Street.

Grodna

Гродна

Губернскі горад на беразе ракі Нёман ля ўпадзення ў яе Гараднічанкі. Упершыню ўпамінаецца ў летапісе пад 1128 годам. З 1391 года меў магдэбургскае права і герб. Па перапісе 1897 года, насельніцтва было 46 871 чалавек. У 1862 годзе праз горад прайшла чыгунка Санкт-Пецярбург—

223. Купецкая вуліца, цяпер К. Маркса ад вул. Будзённага. З левага боку касцёл і кляштар брыгітак*, пабудаваны ў XVII ст. у стылі барока. Цяпер тут медыцынская ўстанова. Дом з балконамі справа таксама захаваўся.

223. Kupetskaya Street, now named after K.Marx, as seen from Budionyi Street. On the left is the Catholic Church and the brigitte monastery* built in the 17th century in baroque. Now it houses a medical establishment. The house with balconies on the right is still there, too.

224. Чыгуначны вакзал, пабудаваны ў 1868 годзе. На яго месцы цяпер стаіць новы.

224. The railway station built in 1868 has now been replaced by a new one.

←

Варшава. Працавалі рачны грузавы і пасажырскі парты, апошні з пасажырскімі лініямі Гродна—Друскенікі і Гродна—Масты. На рубяжы XX стагоддзя ў горадзе меліся 19 фабрык і заводаў. Насельніцтва павялічылася і стала больш за 50 тысяч чалавек. Акрамя адміністрацыйных гарадскіх

225. Садовая вуліца, цяпер Ажэшкі. Будынак з класічным порцікам — Казённая палата*, былы дом віцэ-губернатара Максімовіча, пабудаваны на мяжы XVIII—XIX стст.

225. Sadovaya (Orzeszkowa) Street. The building with a classic front is a Public Chamber*. It was built at the turn of the 18th—19th centuries and was first owned by the vice-governor Maximovich.

і губернскіх устаноў меліся 2 банкі, акружная лячэбніца, 5 аптэк, павівальная школа, мужчынская і жаночая гімназіі, рэальнае вучылішча, гарадское вучылішча, 2 пачатковыя вучылішчы, рамеснае і лютэранскае вучылішчы, 5 прыходскіх вучылішчаў, 2 прыватныя гімназіі, прыватная прагімназія, 4 прыватныя вучылішчы, 6 цэркваў, 2 касцёлы, лютэранская кірха, 2 сінагогі, праваслаўны манастыр і 2 каталіцкія манастыры, народны дом, тэатр, цырк, 4 бібліятэкі, 7 кнігарань, 4 друкарні, літаграфія, 3 тыпалітаграфіі, 7 фатаграфій, 14 гасцініц. Горад сфарміраваўся ў асноўным на правым беразе Нёмана, з адна-, двух- і трохпавярховых дамоў у цэнтры. Галоўная і найбольш людная плошча — Парадная. Тут знаходзіліся ратуша, гасціны двор з мноствам крамаў і гарадскі рынак. На левым беразе раскінулася прадмесце Занёманскі фарштат.

226. Від на вуліцу Замкавую і горад з пажарнай вежы. Злева — будынак былога фарнага касцёла Вітаўта, які ў 1804 годзе быў перададзены праваслаўнай царкве, адрамантаваны ў 1807 годзе і асвячоны ў імя святой Сафіі.

226. View of Zamkavaya Street and the city from the fire tower. On the left is the former central Catholic Church of St Vitautas which in 1804 was transferred to the Orthodox Church, then repaired and in 1807 rebaptized to be named after St Sofia.

227. Купецкая вуліца (К. Маркса ад плошчы Савецкай). Злева — сцяна касцёла, а з правага боку перабудаваны дом караля Стэфана Баторыя. Тут знаходзілася прыватная жаночая гімназія, дзе ў 1910—1912 гадах вучылася беларуская пісьменніца Зоська Верас.

227. Kupetskaya, now K.Marx Street as seen from Savetskaya Square. On the left is the wall of the Catholic Church and on the right is the renovated mansion of King Stephan Batoriy. It used to house a public women's gymnasium where in 1910—1912 the Belarussian writer Zoska Veras was a student.

228. Жаночы кляштар базыльянак* XVIII ст. Царква Раства Багародзіцы пабудавана ў стылі барока ў 1726 годзе*. У апошнія гады тут быў музей гісторыі рэлігіі. Цяпер манастыр.

←

228. The 18th century women's Monastery of St Basil's followers*. The Nativity of the Virgin Church was built in baroque in 1726*. In the last years there was a Museum of the History of Religion. Today it houses a monastery.

229. Мужчынская гімназія*. Да 1913 года ў ёй працаваў выкладчыкам беларускі гісторык і краязнавец Я.Ф. Арлоўскі. Скончылі гімназію вядомы барэц-асілак Я.А. Чахоўскі і акадэмік А.В. Кавельскі. Цяпер тут жылы дом па вул. Савецкай, 6.

229. The men's gymnasium*. Until the year 1913, the Belarusian historian and local lore scholar Y.F. Arlouski had worked in it as a teacher. Among its graduates are the well-known wrestler Y.A.Chakhouski and academician A.V.Kavelski. Now there is a dwelling block (6, Savetskaya Street).

230. Гасціны рад на Парадная плошчы.

230. The commercial rows in Paradnaya Square.

231. Марыінская жаночая гімназія*. Пабудавана ў 1893 годзе у стылі позняга класіцызму. Цяпер корпус Гродзенскага дзяржаўнага універсітэта на вуліцы Ажэшкі.

231. The Maryinskaya women's gymnasium* built in 1893 in the late classic style. Now it is the Grodno State University building in Orzheszkowa Street.

232. Рэальнае вучылішча*. Пабудавана ў стылі мадэрн у 1907 годзе.

232. The natural sciences school* built in modernist style in 1907.

233. Вуліца Замкавая да сённяшніх дзён захавала старую архітэктуру. Вонкавае аблічча яе не змянілася. Толькі замест фурманак рамізнікаў каля будынкаў спыняюцца легкавыя таксоўкі, а брукоўку замяніла палатно асфальту.

233. Zamkavaya Street has retained its architecture till the present day. Its appearance has not changed. Only the horse-drawn cabs have been replaced by motor-cars and the cobble-stone pavement has turned into an asphalt one.

234. Акруговая лячэбніца* на Дварцовай плошчы, цяпер плошча Леніна.

234. The regional hospital* in Dvartsovaya Square, now named after Lenin.

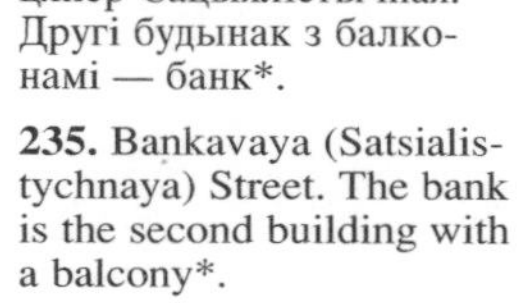

235. Вуліца Банкавая, цяпер Сацыялістычная. Другі будынак з балконамі — банк*.

235. Bankavaya (Satsialistychnaya) Street. The bank is the second building with a balcony*.

236. Падольная вуліца. З левага боку будынак ваенных казармаў* — цяпер корпус тонкасуконнага камбіната. У канцы вуліцы будынак касцёла кармелітаў барочнага стылю.

236. Padolnaya Street. On the left is the former military barracks*, now the building of the worsted mill. At the end of the street is the Carmelite Catholic Church executed in baroque.

238. Акруговы суд* на рагу вуліц Саборнай і Садовай. Надбудаваны трэці паверх (вул. Савецкая, 31).

238. The Regional Court building* stood on the corner of Sabornaya and Sadovaya Streets. The third storey was added later (31, Savetskaya Street).

237. Гарохавая вуліца. Частка цяперашняй Сацыялістычнай ад вуліцы К. Маркса да вуліцы Кірава. Старыя будынкі захаваліся.

237. Garokhavaya Street. Part of today's Satsialistychnaya Street from K.Marx to Kirov Street. The old buildings have survived.

239. У гэтым драўляным доме ў 1894—1910 гадах жыла пісьменніца Э. Ажэшка. У 1979 годзе па старому праекту дом адбудавалі нанова.

239. In 1894 — 1910 the writer A.Orzeszkowa lived in this wooden house. In 1979 the house was rebuilt according to the old design.

240. Дварцовая плошча (Антонія Тызенгаўза). З левага боку відаць частка царквы Аляксандра Неўскага XIX ст., далей дом губернатара, былы палац А. Тызенгаўза (барока, XVIII ст.).

240. Dvartsovaya (Antoniy Tyzengauz) Square. Part of the 19th century Aleksander Nevski Church is seen on the left. Further along is the Governor's house and the A.Tyzengauz Palace (baroque, 18th cent).

241. Швейцарская даліна. Такую назву мела зарослая мясціна па берагах ракі Гараднічанкі ў цэнтры горада. Ва ўсе часы гэта быў гарадскі парк.

241. The Swiss Valley. This was the name of an overgrown site on the banks of the Garadnichanka in the centre of the town. From early days it was a park.

242. Маставая вуліца. Тытунёвая фабрыка Шарашэўскага*, адна з буйнейшых у той час на Беларусі. Цяпер тут фабрыка па вырабу пальчатак. Сваю назву вуліца захавала па сённяшні дзень.

242. Mastavaya Street. The Sharasheuski tobacco factory* was one of the country's biggest at the time. Today it has been replaced by a glove manufacturer. The street has retained its name till today.

243. Сядзіба Станіслававa*. Летняя рэзідэнцыя караля Станіслава-Аўгуста Панятоўскага, пабудаваная ў XVIII ст. Цяпер корпус сельскагаспадарчага інстытута ў канцы вуліцы Ціміразева.

243. The Stanislau estate*. The summer residence of King Stanislav-August Paniatovskiy was built in the 18th century. Now it houses the Agricultural Institute standing at the end of Tsimiriazev Street.

244. Пушкінскае вучылішча* на Сафійскай вуліцы, было адкрыта ў 1899 годзе. Цяпер стары корпус музычнага вучылішча на вуліцы Леніна.

244. The Pushkin school* in Safiyskaya Street was opened in 1899. Today it is the old building of the music school in Lenin Street.

245. Парадная плошча і фарны касцёл*. Касцёл езуіцкага кляштара пабудаваны ў стылі барока. За ім першы будынак — фарная аптэка*, старэйшая на Беларусі (XVII—XVIII стст.).

245. Paradnaya Square and the central Catholic Church*. The Catholic Church of the Jesuitical Monastery was built in baroque. Behind it is the central pharmacy*, the oldest in Belarus (17th — 18th cent).

246. Народны дом* на Акцызнай плошчы. Тут знаходзіліся таварыства народнай цвярозасці, бясплатная бібліятэка-чытальня, тэатр. Зараз Дом культуры.

246. The public house* in Akzysnaya Square. The popular sobriety soceity, a free access library and a theatre were housed in it. Now it is a Palace of Culture.

247. Мост праз Нёман трымаўся на плытах. Знаходзіўся вышэй па цячэнні ад цяперашняга.

247. The bridge across the Neman was supported on rafts and was located way up the river.

248. Від на левы бераг Нёмана ад паромнай пераправы.

248. View of the left bank of the Neman from the ferry crossing.

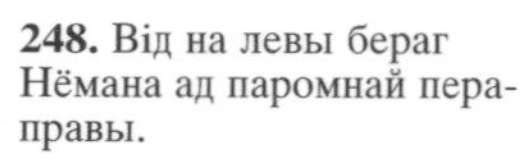

249. Аляксееўскі мост, разбураны кайзераўскімі войскамі ў першую сусветную вайну.

249. The Alyakseyeuski bridge destroyed by the Keiser troops during World War I.

250. Від на правы бераг з Занёманскага фарштата.

250. View of the right bank from the trans-Neman fortress.

251. Паромная пераправа. Ёю карысталіся тады, калі плывучы мост быў разведзены.

251. The ferry crossing. It was used when the raft bridge was raised.

Dzisna

Дзісна

Заснавана як мястэчка ў 1563 годзе на берагах Дзісны пры яе ўпадзенні ў Заходнюю Дзвіну. З 1795-га — павятовы горад Мінскай, а з 1842 года Віленскай губерні. У 1569-ым атрымаў магдэбургскае права і герб. Па перапісе 1897 года, насельніцтва было 6739 чалавек. На рубяжы XIX і XX стагоддзяў тут мелася 6 прамыслова-рамесніцкіх прадпрыемстваў з 27 рабочымі. У 1908 годзе колькасць жыхароў павялічылася да 7265 чалавек. У горадзе дзейнічалі грузавая і пасажырская пристані на лініі Віцебск—Дзвінск (Даўгаўпілс), бальніца, пажар-

252. Замкавая вуліца, цяпер Юбілейная.

252. Zamkavaya Street, now Yubileinaya.

253. Від на горад з боку Заходняй Дзвіны. Справа будынак францысканскага касцёла*.

253. View of the town from the Zapadnaya Dvina. To the right is the Catholic Church of St Francisk*.

←

нае таварыства, паштова-тэлеграфная кантора, 2 царквы, касцёл, гарадское чатырохкласнае і народнае вучылішчы. Месцам адпачынку гараджан лічыўся Аляксандраўскі бульвар на беразе Заходняй Дзвіны. Забудова горада была пераважна драўляная, хоць у цэнтры ўзводзіліся і мураванкі.

254. Аляксандра-Пушкінская вуліца, цяпер Пушкіна. Двухпавярховы будынак з чырвонай цэглы і першы драўляны дом з левага боку захаваліся. Толькі пастарэлі клёны на былым бульвары.

254. Alyaksander Pushkin, now simply Pushkin Street. The two-storeyed red-brick building and the first wooden house on the left are still there. Only the maple-trees have grown older in the boulevard.

255. Зямянская вуліца, цяпер Паўліка Марозава.

255. Zyamianskaya (Pavlik Morozov) Street.

256. Парканная вуліца, ішла ад Замкавай да касцёла. Сёння яе не існуе. На гэтым месцы цяпер школа-інтэрнат.

256. Parkannaya Street stretched from the Zamkavaya to the Catholic Church. Today it has been replaced by a boarding school.

257. Царква*. Помнік архітэктуры XIX ст. (рог вуліц Юбілейнай і Арджанікідзе).

257. A church. Architecture monument of the 19th century (corner of Yubileinaya and Ordzhonikidze Streets).

258. Францысканскі касцёл. Мураваны будынак узведзены ў 1773 годзе ў стылі барока. Часткова захаваўся на вуліцы Пушкіна.

258. The Franciscan Catholic Church. The baroque concrete house was built in 1773 and is partly preserved in Pushkin Street.

259. Аляксандраўскі бульвар. Знаходзіўся на беразе Заходняй Дзвіны пры ўпадзенні ў яе Дзісны.

259. Alyaksandrauski Boulevard stretched along the Zapadnaya Dvina where it was joined by the Disna.

Dobrush

Добруш

Сяло Гомельскага павета на Іпуці. Вядома з XVI стагоддзя. З 1834 года належала князю Паскевічу. У 1870 годзе тут заснавана папяровая фабрыка яго імя. У пачатку XX стагоддзя ў Добрушы пражывала больш за 1000 чалавек, мелася чыгуначная станцыя Палескай чыгункі, лесапільны завод, вольна-пажарнае таварыства, паштова-тэлеграфнае аддзяленне, бальніца і Мікалаеўская царква.

260. Бальніца папяровай фабрыкі*. Надбудаваны трэці паверх — цяпер корпус Добрушскай цэнтральнай бальніцы на вуліцы Чкалава.

260. Hospital of the paper factory*. The third floor was added later. Now it is the Dobrush central clinic in Chkalau Street.

261. Галоўная вуліца. Цяпер праспект Луначарскага ў бок да моста праз раку Іпуць. З левага боку відаць будынак папяровай фабрыкі.

261. The main street. Today it is called Lunacharski Avenue stretching to the bridge across the Iputs river. Conspicuous on the left is the paper factory.

105. Гомель, Добрушская писчебумажная фабрика.

262. Папяровая фабрыка князя Паскевіча*, пабудавана ў 1870 годзе.

262. The paper factory run by Count Paskevich*, built in 1870.

Drysa

Дрыса

Павятовы горад ля ўпадзення Дрысы ў Заходнюю Дзвіну. У пісьмовых крыніцах упамінаецца з 1386 года. Меў магдэбургскае права, у 1781-ым — атрымаў герб. Насельніцтва, па перапісе 1897 года, налічвалася 4240 чалавек, а ў 1904-ым — 5750 чалавек. Забудова горада была пераважна драўляная, і толькі на цэнтральных вуліцах меліся аднадвухпавярховыя мураванкі, у тым ліку праваслаўны сабор і касцёл. У гэты час тут дзейнічалі 14 фабрычна-заводскіх прамысловых прадпрыемстваў з 30 рабочымі, станцыя Рыга — Арлоўскай чыгункі, пошта, тэлеграф, бальніца, аптэка, казначэйства, вольна-пажарнае таварыства. У 1914 годзе ў Дрысе меліся гарадское вышэйшае пачатковае вучылішча, ніжэйшая рамесная школа, прыватная жаночая прагімназія, 2 прыватныя бібліятэкі, 4 гасцініцы.

263. Гарадская пошта і тэлеграф.

263. The city post-office and telegraph.

264. Новамаскоўская вуліца. З правага боку будынак рамеснай школы*. Цяпер у ім сярэдняя школа.

264. Novamaskouskaya Street. On the right is the crafts school*, now a secondary school.

265. Вуліца Гейжэнаўская, цяпер Ленінская. Гарадское вучылішча*. Зараз у будынку міжшкольны навучальна-вытворчы камбінат.

265. Geizhenauskaya, now Leninskaya Street. The city college*. Today it houses an inter-school education and production centre.

←

Zhlobin

Жлобін

Мястэчка Рагачоўскага павета Магілёўскай губерні на рацэ Днепр. Упершыню ўпамінаецца пад 1492 годам. Па перапісе насельніцтва 1897 года, налічвалася 2098 чалавек. У першым дзесяцігоддзі XX стагоддзя насельніцтва павялічылася да 6 тысяч. У гэты час у мястэчку мелася станцыя Лібава-Роменскай чыгункі і лінія Віцебск—Жлобін, грузавая і пасажырская прыстані з параходнай пасажырскай лініяй Магілёў—Кіеў. Гэта паспрыяла пашырэнню гандлёвых сувязяў горада. Меліся цагельнае, гарбарнае і лесапільнае прадпрыемствы, пазыка-ашчаднае таварыства, банкірская кантора, упраўленне таварыства дробнага крэдыту, чыгуначная прыходская школа, прыватнае аднакласнае жаночае вучылішча, Святатроіцкая царква, паштова-тэлеграфная кантора, тэатр і 6 гасцініц. Забудова складалася з драўляных аднапавярховых хат і больш нагадвала вёску. Толькі экіпажы рамізнікаў і дашчаты тратуар на вуліцах сведчылі аб тым, што гэта мястэчка.

266. Па ўспамінах старажылаў, Вакзальная — гэта цяперашняя вуліца Баталава.

266. Old people remember this street as Vakzalnaya, now Batalov Street.

267. Паштова-тэлеграфная кантора. Месца знаходжання яе не выяўлена.

267. The post-office and telegraph. The place where it stood has never been found.

Жлобін Zhlobin

268. Мястэчка Жлобін на мяжы XIX—XX стагоддзяў.

268. The town of Zhlobin at the turn of the 19th-20th centuries.

269. Хоць мястэчка Жлобін у той час больш нагадвала вёску, аднак тут меўся свой тэатр.

269. Although Zhlobin of those days looked more like a village, it had its own theatre.

Жлобін Zhlobin

270. Дняпроўская вуліца, цяпер Карла Маркса. У першым доме (злева) знаходзіўся магазін жаночых капелюшоў.

270. Dnyaprouskaya, now Karl Marx Street. The first building on the left was a women's headgear shop.

271. Гарадская ўскраіна.

271. The town outskirts.

272. Набярэжная. Такую ж назву носіць і сучасная вуліца. На гэтым месцы зараз прычал для маторных лодак.

272. The embankment. The street which is now there bears the same name. Motorboats moor here nowadays.

Kobryn

Кобрын

Павятовы горад Гродзенскай губерні на рацэ Мухавец і яе прытоку Кобрынцы. Упершыню ўпамінаецца ў летапісе пад 1287 годам. У 1589-ым атрымаў магдэбургскае права і герб. Па перапісе 1897 года, насельніцтва было 10 365 жыхароў.
У горадзе меліся 2 царквы, касцёл, лютэранская кірха, 3 бальніцы, 3 ваенныя шпіталі, аптэка, 2 кнігарні, бібліятэка, 2 друкарні. Заводаў і фабрык на рубяжы XIX і XX стагоддзяў было 24.
У 1908 годзе меліся гарадское вучылішча, жаночае і мужчынскае прыходскія вучылішчы,

аднакласнае вучылішча, прыватная жаночая прагімназія, таварыства ўзаемнага крэдыту, пазыка-ашчаднае таварыства, спажывецкае таварыства, паштова-тэлеграфная кантора і паштова-тэлеграфнае аддзяленне.

У цэнтры горада знаходзіўся рынак з каланадным будынкам гандлёвых радоў, а вакол рынку мясціліся двухпавярховыя з мансардамі дамы прадпрымальнікаў і гандляроў і адміністрацыйныя будынкі.

273. Рыначная плошча і гасціны рад. Захаваліся: першы будынак злева, былы сход міравых суддзяў, і мураваныя дамы на пярэднім плане па вуліцы Савецкай. Гандлёвыя рады (справа) у 20-ыя гады рэканструяваны. Цяпер іх выкарыстоўвае швейная фабрыка.

273. The Market Square and commercial rows. The first building on the left, which formerly was the building of Peace Courts Council, and the stone houses in the foreground in Savetskaya Street are still there. The commercial rows on the right were restored in the '20s. Now they are used by the sewing factory.

274. Рыначная плошча і Брэсцкая вуліца. Цяпер плошча Свабоды і вуліца Савецкая на скрыжаванні з вуліцай Леніна. Многія будынкі захаваліся.

274. The Rynachnaya (Market) Square and Brestskaya Street. Now they are Svabody (Freedom) Square and Savetskaya Street at the junction with Lenin Street. Many of the buildings have survived.

←

Кобрын / Kobryn

275. Брэсцкая вуліца, цяпер Савецкая.

275. Brestskaya Street, now Savetskaya.

276. Від на Брэсцкую вуліцу ад Рыначнай плошчы.

276. View of Brestskaya Street from the Rynachnaya (Market) Square.

277. Будынак Сходу міравых суддзяў Кобрынска-Пружанскай акругі*. Помнік архітэктуры XVIII ст. Будынак захаваўся на плошчы Свабоды, 6, з рэканструяваным франтонам.

277. The building of Peace Courts Council of the Kobrin-Pruzhany area*. The architecture monument of the 18th century. The building is still standing in Svabody (Freedom) Square, 6, the pediment having been restored.

278. Пінская вуліца, цяпер Першамайская. Захаваўся першы дом злева.

278. Pinskaya Street, now Pershamaiskaya. The first building on the left is still there.

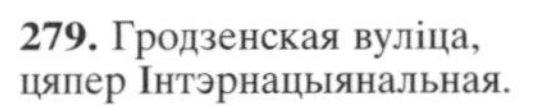

279. Гродзенская вуліца, цяпер Інтэрнацыянальная.

279. Grodzenskaya (Internatsianalnaya) Street.

280. Від з моста на казармы. Справа за каменнай агароджай — Мікалаеўская царква*. Помнік драўлянай архітэктуры XVIII—XIX стст.

280. View of the barracks from the bridge. On the right, behind the stone fence is the Church of St Nicholas, an 18th—19th century wooden architecture monument.

Кобрын Kobryn

281. Будынак ваеннага сходу. Знаходзіўся на Бабруйскай вуліцы.

281. The building of the Military Council used to stand in Babruiskaya Street.

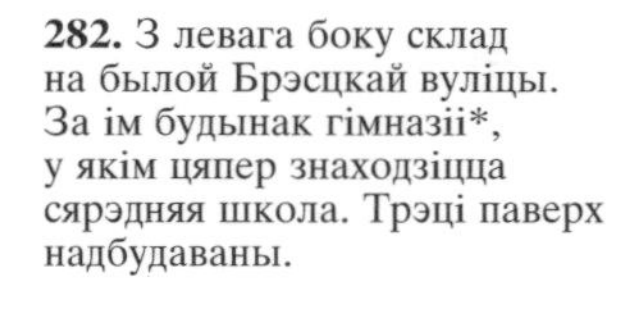
282. З левага боку склад на былой Брэсцкай вуліцы. За ім будынак гімназіі*, у якім цяпер знаходзіцца сярэдняя школа. Трэці паверх надбудаваны.

282. On the left is the warehouse in the former Brestskaya Street. Behind it is the gymnasium* which has been transformed into a secondary school. The third floor was added later.

283. Бабруйскае шасэ, цяпер вуліца Леніна.

283. The Babruisk highway, now Lenin Street.

284. Спаскі кляштар (XVI ст.), неаднаразова разбураўся і гарэў. Пасля апошняга пажару ў XIX ст. засталіся толькі сцены. Першы злева будынак адноўлены ў 20-ыя гады. У ім цяпер дзяржаўная ўстанова па вуліцы 17 Верасня.

284. St Saviour's Monastery (16th cent) was many a time detsroyed and burned. After the last fire in the 19th century only the walls remained. The first building on the left was renovated in the '20s and now it is a public institution in 17th September Street.

Krychau

Крычаў

Мястэчка Чэрыкаўскага павета Магілёўскай губерні на правым беразе ракі Сож. У пісьмовых крыніцах упамінаецца з 1136 года. У 1633-ім — атрымаў магдэбургскае права і герб. Жыхароў у пачатку XX стагоддзя налічвалася каля 4 тысяч. Тут меліся 3 гарбарныя і 4 ганчарныя заводы, пазыка-ашчадная каса, валасная і мяшчанская ўправы, пажарная дружына, паштова-тэлеграфнае аддзяленне, фельчарскі пункт, аптэка, 5 цэркваў, касцёл, жаночая двухкласная школа, аднакласная школа, 2 народныя вучылішчы, ніжэйшая рамесная школа, земляробчы гурток.

285. Шасэйная вуліца, цяпер Ленінская. Удалечыні за дрэвамі палац князя Пацёмкіна. Пабудаваны ў стылі класіцызму ў 1778—1787 гадах. У XIX ст. палац належаў Галынскім. Тут жыў доктар-вандроўнік А.В. Ґалынскі, які сустракаўся і падтрымліваў сувязь з А. І. Герцэнам.

285. Shaseinaya Street, now Leninskaya. Farther along, behind the trees is the palace of prince Potemkin built in classic style in 1778—1787. In the 19th century the palace belonged to the Galynski family. The travelling doctor A.V.Galynski who was in good touch with A.Gerzen used to live here.

286. Рамеснае вучылішча. Адкрыта ў 1904 годзе.

286. The crafts school which was opened in 1904.

←

Lepel

Лепель

Павятовы горад Віцебскай губерні на беразе Лепельскага возера. Упершыню ў пісьмовых крыніцах упамінаецца пад 1439 годам. У 1852-ім атрымаў гарадскі герб. Па перапісе 1897 года, жыхароў было 6316 чалавек. На рубяжы XIX і XX стагоддзяў у горадзе меліся 14 фабрык і заводаў, 133 гандлёва-прамысловыя ўстановы, 386 рамеснікаў. У 1906 годзе насельніцтва налічвалася 7397 чалавек. У 1913 годзе, акрамя гарадскіх і павятовых устаноў, знаходзіліся 3 царквы, касцёл, бальніца, паштова-тэлеграфная кантора, аптэка, вольнае пажарнае, сельскагаспадарчае, дабрачыннае таварыствы, гарадское вышэйшае вучылішча, чатырохкласнае жаночае вучылішча, 2 прыходскія вучылішчы, 2 прыватныя навучальныя ўстановы, 2 бібліятэкі, 6 гасцініц. У мяжы горада на Бярэзінскай воднай сістэме знаходзіўся млын і 2 шлюзы. У Лепелі выдавалася газета «Известия лепельского общества сельского хозяйства».

287. Клуб і паліцыя. Знаходзіліся на цяперашняй вуліцы Інтэрнацыянальнай. У наступным будынку* цяпер школа-інтэрнат.

287. The club and the police station used to be in Internatsianalnaya Street. The next building* now houses a boarding school.

288. Дваранская вуліца, цяпер Данукалава.

288. Dvaranskaya, now Danukalau Street.

290. Касцёл святога Казіміра*. Пабудаваны ў стылі позняга класіцызму ў 1857—1876 гадах (рог вуліц Дзяржынскага і Леніна).

290. The Catholic Church of Kazimierz* built in the late classic style in 1857—1876 on the corner of Dzerzhinski and Lenin Streets.

289. Пушкінская вуліца, цяпер Леніна ад вуліцы Валадарскага да плошчы Свабоды. Забудова засталася.

289. Pushkinskaya (Lenin) Street from Volodarski Street to Svabody (Freedom) Square. The buildings are still there.

291. Шлюз Бярэзінскай воднай сістэмы на 1-ым Лепельскім канале.

291. The loch of the Berezina water system on the first Lepel canal.

Ліда

Павятовы горад Віленскай губерні з 1842 года. Размясціўся на беразе ракі Лідзеі. Упершыню ўпамінаецца ў канцы XIV стагоддзя. У 1587-ым атрымаў магдэбургскае права, а ў 1590-ым — герб. Па перапісе 1887 года жыхароў налічвалася 8626. На рубяжы XX стагоддзя тут былі 44 фабрыкі і заводы з 284 рабочымі. Дзякуючы адкрыццю чыгуначнай станцыі Палескай чыгункі Вільня—Роўна і чыгункі Балагое—Седльцэ насельніцтва вырасла да 10 906 чалавек. Акрамя павятовых і гарадскіх адміністрацыйных устаноў меліся 2 бальніцы, паштова-тэлеграфная кантора 4-га класа, гарадское чатырохкласнае вучылішча, прыходскае вучылішча, пачатковае вучылішча, 2 прыватныя прагімназіі, царква, касцёл, сінагога. У 1913 годзе была адкрыта мужчынская гімназія. У цэнтры горада знаходзілася Рыначная плошча. Галоўная вуліца Віленская вызначалася мноствам цагляных дамоў.

292. Лідскі кірмаш.

292. The Lida Fair.

293. Рыначная плошча ў час кірмашу, цяпер плошча Леніна.

293. The market square during the Fair. Today's Lenin Square.

294. Чыгуначны вакзал*.

294. The railway station*.

295. Асабняк* з калонамі, пабудаваны ў стылі класіцызму, страціў галоўны порцік.

295. The column mansion* built in classicism. The main portico has been lost.

296. Віленская вуліца, цяпер Савецкая.

296. Vilenskaya, now Savetskaya Street.

297. Крыжаўзвіжанскі касцёл*, пабудаваны ў стылі барока ў 1770 годзе.

297. The Catholic Church of the Exaltation of the Cross built in baroque in 1770.

298. Казначэйства (мураваны будынак злева). Знаходзілася ў раёне цяперашняй плошчы 600-годдзя горада.

298. The Treasury (the stone building on the left). It was situated near where the square named after the 600th anniversary of the town is now.

299. Паліцэйскае ўпраўленне. Месца знаходжання невядома.

299. The police authority. The place where it stood was never found.

300. Царква*. Да 1863 года гэта быў Іосіфаўскі касцёл піяраў, пабудаваны ў 1797—1825 гадах.

300. A church*. Until 1863, it functioned as a piarist Church of St Joseph (built in 1797—1825).

301. Гарадское вучылішча, знаходзілася на вуліцы Замкавай.

301. The town college stood in Zamkavaya Street.

302. Гарадская пошта. Будынак не захаваўся.

302. The town post-office is no longer there.

303. Школьная вуліца і сінагога. Пасля рэканструкцыі горада вуліца не існуе.

303. Shkolnaya Street and the Synagogue. After the reconstruction the street has disappeared.

304. Каменская вуліца, цяпер Ленінская.

304. Kamenskaya, now Leninskaya Street.

305. Прыватная жаночая прагімназія на вуліцы Каменскай.

305. The private women's gymnasium in Kamenskaya Street.

306. Такі выгляд мела на пачатку нашага стагоддзя цяперашняя вуліца Труханава.

306. This is what Trukhanau Street looked like at the beginning of the 20th century.

307. Гарадская ўскраіна.

307. The town outskirts.

308. Замкавая вуліца, цяпер Камсамольская ў бок замка.

308. Zamkavaya, now Kamsamolskaya Street down to the castle.

309. За ракой Лідзеяй руіны старога замка. Помнік абарончага дойлідства Беларусі XIV—XV стст.

309. Ruins of the old castle beyond the Lidzea river. A 14th—15th century defense architecture monument.

Magileu

Магілёў

Губернскі горад на берагах Дняпра і на яго прытоку Дубровенцы. Упершыню ўпамінаецца ў летапісе пад 1267 годам. У 1577 годзе атрымаў магдэбургскае права, а ў 1661-ым — герб. У пачатку ХХ стагоддзя

жыхароў налічвалася 43 106, а ў 1908 годзе — 53 618 чалавек. Суднаходства па Дняпры, грузавая прыстань давалі вялікія магчымасці ў пашырэнні гандлёвых сувязяў. Пасажырская параходная прыстань мела штодзённыя лініі Магілёў—Кіеў і Магілёў—Орша. Праз Магілёў прайшла чыгуначная лінія Віцебск—Жлобін.

У 1910—1914 гадах у горадзе налічвалася 170 прамысловых прадпрыемстваў, на якіх працавалі больш як 700 рабочых, электрастанцыя, 5 банкаў, 2 бальніцы, амбулаторыя, 4 лячэбніцы, 4 аптэкі, 3 навучальныя ўстановы. Меліся духоўная семінарыя, настаўніцкі інстытут, 2 гімназіі, рэальнае і камерцыйнае вучылішчы, 3 прыватныя гімназіі, 5 прыходскіх школ, 25 прыходскіх вучылішчаў, 2 народныя вучылішчы, жаночая нядзельная школа, школы фельчараў і павітух, рамесніцкае вучылішча, 2 духоўныя вучылішчы, 7 цэркваў, 2 касцёлы, лютэранская кірха, сінагога.

З устаноў культуры былі губернскі і царкоўна-археалагічны музеі, тэатр, 2 электратэатры, народны дом, 4 бібліятэкі, 6 фатаграфій, 5 друкарняў, 27 гасцініц, рэдакцыі трох мясцовых перыядычных выданняў, больш за 30 грамадскіх таварыстваў. Галоўныя вуліцы горада — Вялікая Садовая, Дняпроўскі праспект, Малая Садовая, Быхаўская. Забудову цэнтральных вуліц складалі двух- і трохпавярховыя цагляныя дамы.

310. Від на ратушу і Дняпро ў час вясновай паводкі.

310. View of the City Hall and the Dnieper during the spring flood.

311. Казённая пасажырская прыстань. Знаходзілася справа ад моста ў бок да ўпадзення ў Дняпро ракі Дубровенкі.

311. The public passenger pier was located to the right of the bridge near where the Dubrovenka ran into the Dnieper.

312. Панарама горада з Дняпра з сілуэтамі званіцы Богаяўленскага кляштара (злева), вежаў ратушы і Спаскага кляштара.

312. The aerial view of the city from the Dnieper with silhouettes of the bell-tower of the Apparition of God Monastery (left), City Hall towers and St Saviour's Monastery.

313. Грузавая прыстань. Знаходзілася з левага боку моста насупраць Губернатарскай плошчы. Цяпер тут прычал прыватных маторных лодак.

313. The cargo pier was to the left of the bridge, opposite Governor's Square. Now private motor-boats moor here.

Магілёў Magileu

314. Чыгуначны вакзал*. Пабудаваны ў 1902 годзе.

314. The railway station* was built in 1902.

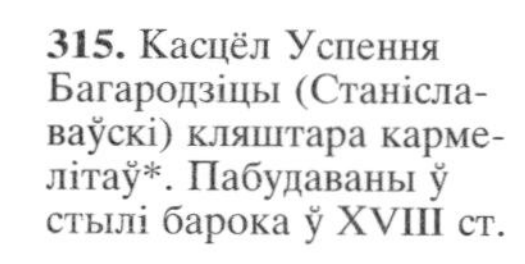

315. Касцёл Успення Багародзіцы (Станіслаўскі) кляштара кармелітаў*. Пабудаваны ў стылі барока ў XVIII ст.

315. The Catholic Church of the Ascension of the Virgin (Stanislav's) of the Carmelite Monastery*. It was built in baroque in the 18th century.

316. Марыінская жаночая гімназія*, пабудавана ў 1875 годзе. У ёй цяпер размешчана сярэдняя школа. На месцы дома перад гімназіяй, у якім знаходзіўся кінатэатр нямога кіно «Мадэрн», узвышаецца шматпавярховая будыніна.

316. The Maryinskaya women's gymnasium* was erected in 1875. Now it is a secondary school. The house in front of the gymnasium which was a mute film cinema called "Modern" has been replaced by a multi-storeyed block.

317. Іосіфаўскі сабор. Пабудаваны з цэглы ў стылі класіцызму ў 1780—1798 гадах на Шклоўскай вуліцы. У саборы знаходзіліся абразы вядомага рускага мастака У. Баравікоўскага. На яго месцы зараз гасцініца «Дняпроўская».

317. St. Joseph's Cathedral. It was made of clay in classic style in 1780—1798 in Shklouskaya Street. Icons by Borovikovski, a prominent Russian artist, were kept in Cathedral. Hotel "Dniaprouskaya" is now there.

319. Гарадская ратуша. Помнік архітэктуры XVII—XIX стст. Знаходзілася на Губернатарскай плошчы непадалёку ад Спаскага кляштара.

319. The Town Hall. The 17th—19th century architecture monument. It used to stand in Governor's Square near St Saviour's Monastery.

318. Тэатральная плошча. Атрымала назву пасля пабудовы на Дняпроўскім праспекце гарадскога тэатра. Злева Васкрасенская царква, пасярэдзіне — гатэль «Дэ Франсэ». Не збераглісь.

318. Theatrical Square got its name after a theatre was erected in Dniaprouski Avenue. To the left of it is the Resurrection Church and in the middle — Hotel "Des Francais". None of the buildings has survived.

320. Мост праз Дняпро злучаў стары горад з Задняпроўем, дзе знаходзіліся прадмесці Траецкае і Лупалаўскае.

320. This bridge across the Dnieper once connected the old town with the Transdnieper area where the Traetskaye and Lupalauskaye settlements stood.

321. Будынак губернскага праўлення і дом губернатара. Пабудаваны ў стылі класіцызму ў канцы XVIII ст. на Губернатарскай плошчы. Цяпер Савецкая плошча.

321. The building of the regional administration and the Governor's house. They were built in classic style at the end of the 18th century in Governor's, now Savetskaya Square.

322. Фельчарская школа*. У будынку цяпер Магілёўскае медыцынскае вучылішча (рог вуліц К. Маркса і К. Лібкнехта).

322. Ancillary medical personnel school*. Today it is the Magileu medical college (corner of K.Marx and K.Liebknecht Streets).

323. Мужчынская гімназія*. Заснавана ў 1809 годзе. Тут вучыліся вучоны М. Судзілоўскі, публіцыст П. Лепяшынскі, вучоны, даследчык Арктыкі О. Шміт, беларускі пісьменнік, вучоны М. Грамыка.

323. The men's gymnasium* was founded in 1809. Scientist M.Sudzilouski, journalist P.Lepeshinski, Arctics researcher O.Shmidt, Belarusian writer and scholar M.Gramyka were all students of the gymnasium.

324. Аляксандраўская абшчына сясцёр міласэрнасці на Малой Садовай.

324. The Alyaksander society of nurses in Malaya Sadovaya.

325. Вуліца Вялікая Садовая, цяпер Ленінская. Гэта толькі частка яе ад вуліцы Камсамольскай да Лібкнехта.

325. Vialikaya Sadovaya, now Leninskaya Street. This is but a part of it from Kamsamolskaya to Liebknecht Streets.

326. У першым будынку злева на гэтай вуліцы цяпер Магілёўскі дзяржаўны універсітэт імя А. Куляшова.

326. The first building on the left is the Magileu State Teacher-Training Institute named after A.Kuliashou.

327. Шклоўскі рынак. Знаходзіўся на Дняпроўскім праспекце, былой Шклоўскай вуліцы. Цяпер тут Камсамольскі сквер з новымі будынкамі Дома архітэктара, Дома быту і рэстарана «Габрава».

327. The Shklou market was situated in Dnieprovski Avenue, formerly Shklouskaya Street. Today there is the Kamsamolski mini-park with new buildings of the House of Architects, communal services establishment and restaurant "Gabrovo".

328. Пажарны завулак. Від цяперашняй вуліцы К. Лібкнехта ад Ленінскай у бок Першамайскай. Старыя будынкі захаваліся, акрамя першага з левага боку вуліцы.

328. Pazharny Lane. View of K.Liebknecht Street as seen from Leninskaya towards Pershamaiskaya. The old buildings have survived, except the first one on the left-hand side of the street.

329. Дваранская вуліца. Справа першы будынак — гасцініца «Брыстоль»*. Дабудаваны трэці паверх. Тут цяпер культасветвучылішча.

329. Dvaranskaya Street. The first building on the right is the Hotel "Bristol"*. The third floor was added later. Now it is a college of national culture.

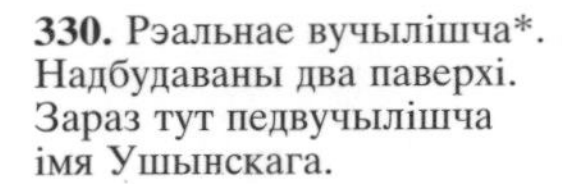

330. Рэальнае вучылішча*. Надбудаваны два паверхі. Зараз тут педвучылішча імя Ушынскага.

330. The natural sciences school* with two storeys added. Today it is a teacher-training college named after V.Ushinski.

332. Прадмесце Пелагееўка. Млын і плаціна не захаваліся. Зараз раён праспекта Міра за гасцініцай «Магілёў».

332. Pelageyeuka settlement. The mill and the damb are no longer there. Now it is a part of Praspect Mira beyond the Hotel "Magileu".

→

331. Дзяржаўны банк*. Пабудаваны ў 1904—1906 гадах на вуліцы Вялікай Садовай. І зараз выконвае свае функцыі.

331. The State Bank* was built in 1904—1906 in Vialikaya Sadovaya Street and is still there performing its functions.

333. Віленская вуліца, цяпер Лазарэнкі.

333. Vilenskaya, now Lazarenki Street.

334. Быхаўскі рынак*. Назву атрымаў ад вуліцы, на якой знаходзіцца і да сённяшняга часу. Драўляная забудова не захавалася. На горцы трохпавярховы будынак жаночага духоўнага вучылішча, у якім зараз мясціцца школа-інтэрнат.

334. The Bykhau market*. It took its name from the street where it has stood till today. The wooden building is no more. On the hill is the three-storeyed building of the women's church school by now transformed into a boarding school.

Мазыр

Павятовы горад Мінскай губерні. Размясціўся на высокім, правым, прарэзаным глыбокімі ярамі, беразе ракі Прыпяць. Упершыню ў пісьмовых крыніцах згадваецца пад 1155 годам. У 1577-ым атрымаў магдэбургскае права і герб. Па перапісе 1897 года, насельніцтва было 10 762 чалавекі. У пачатку XX стагоддзя колькасць яго павялічылася да 12 300 жыхароў. У горадзе ў гэты час меліся 3 заводы з 565 рабочымі, грузавая і пасажырская пристані, паштова-тэлеграфная кантора, бальніца, дзіцячы сад, 3 царквы, касцёл, сінагога, некалькі малітоўных дамоў, вольна-пажарнае таварыства, мужчынская прагімназія, гарадское вучылішча, 2 прыватныя жаночыя гімназіі, 2 прыватныя пачатковыя навучальныя ўстановы, прыходскае вучылішча, таварыства дапамогі вучням, друкарня.

335. Від на горад з ракі Прыпяць.

335. View of the town from the Pripyat river.

336. Жытомірская вуліца, цяпер Калініна. Зарослы кустамі каліны высокі бераг яра быў месцам адпачынку для гараджан.

336. Zhytomirskaya, now Kalinina Street. Overgrown with guelder rose bushes, the high bank of the ravine was a favourite place of rest

337. Набярэжная каля цяперашняга рачнога вакзала. Тут знаходзілася прыстань.

337. The embankment near the modern river station. There was a pier in the old days.

338. Слуцкая вуліца, цяпер Савецкая. Старая забудова не захавалася.

338. Slutskaya (Savetskaya) Street. The old buildings have disappeared.

340. Від на Спаскую гару з Рыначнай плошчы. На першым плане — жаночая гімназія*, за якой Спаская гара (былое замчышча), цяпер гара Камунараў.

340. View of Mount Spasskaya from Market Square. In the foreground is the women's gymnasium* with the Mount (formerly a castle place) behind it. Now it is the Mount of Communards.

339. Мужчынская гімназія* на Пакроўскай вуліцы, цяпер Леніна. Тут вучыўся лінгвіст, этнограф, географ, аўтар «Словаря якутского языка» Э.К. Пякарскі. Цяпер гэта корпус санаторна-лясной школы.

339. The men's gymnasium* in Pakrouskaya (Lenin) Street. E.Piakarski, a well-known linguist, ethnographer, geographer and author of the Yakut Language Dictionary was a student here. Now it is a forest school-sanatorium.

341. Рыначная плошча і Спаская гара.

341. Market Square and Mount Spasskaya.

←

Мазыр / Mazyr

342. Касцёл кляштара бернардзінцаў*. Пабудаваны ў стылі барока ў XVII ст.

342. The Catholic Church of the Bernardine Monastery*. It is a baroque architecture of the 17th century.

343. Слуцкая вуліца, цяпер Савецкая. Зараз мае іншы выгляд. Справа — будынкі Дома афіцэраў, універмага, рачнога вакзала.

343. Slutskaya, now Savetskaya Street. Today it looks different. On the right are the buildings of officer's club, department store and river station.

344. Паром. Да першай сусветнай вайны дарожнага моста праз Прыпяць у горадзе не было.

344. The ferry. Before World War I there was no bridge across the Prypiat in the town.

345. Кіеўская вуліца са Спаскай гары. Цяпер вуліца Савецкая ад вуліцы Горкага ў бок плошчы Леніна.

345. Kieuskaya Street from Mount Spasskaya. Today it is Savetskaya Street from Gorki Street down to Lenin Square.

Maladzechna

Маладзечна

Мястэчка Вілейскага павета Віленскай губерні на рацэ Уша. Упершыню ўпамінаецца ў 1388 годзе. На рубяжы XIX і XX стагоддзяў жыхароў было 882 чалавекі, а ў пачатку XX стагоддзя іх стала звыш 2 тысяч. Праз Маладзечна прайшла Лібава-Роменская чыгунка. У гэты час тут меліся 6 прадпрыемстваў, царква, касцёл, сінагога, настаўніцкая семінарыя, 3 пачатковыя вучылішчы.

346. Чыгуначны вакзал*. Пабудаваны ў 1907 годзе. Адзін з трох аднатыпных будынкаў, якія меліся яшчэ ў Ваўкавыску і Лідзе.

346. The railway station* was built in 1907. It was one of the three identical buildings, two others being in Vaukavysk and Lida.

347. Пакроўская царква*. Пабудавана ў 1867 — 1871 гадах у псеўдарускім стылі.

347. The Intercession Church* was erected in 1867-1871 in pseudo-Russian style.

Minsk

Мінск

Губернскі горад на Свіслачы ля ўпадзення ў яе ракі Нямігі. Упершыню ўпамінаецца ў летапісе пад 1067 годам. Атрымаў магдэбургскае права ў 1499 годзе, а ў 1591-ым — герб. У канцы XIX і пачатку XX стагоддзя Мінск, дзякуючы пракладцы праз яго Маскоўска-Брэсцкай і Лібава-Роменскай чыгунак, атрымаў гандлёвыя сувязі з краінамі Усходу і Заходняй Еўропы, што дало вялікі штуршок у яго эканамічным развіцці. У пачатку XX стагоддзя горад стаў самым буйным пасля Вільні адміністрацыйным і культурным цэнтрам тагачаснай Беларусі. Па перапісе 1897 года, насельніцтва налічвалася 91 494 чалавекі, а ў 1912-ым яго стала 104 949 чалавек. У Мінску мелася больш за 50 фабрык і заводаў, электрастанцыя, водаправод, 5 банкаў, 4 бальніцы, вайсковы шпіталь, 7 лячэбніц, педагагічны інстытут, духоўная семінарыя, мужчынская і 2 жаночыя гімназіі, 2 рэальныя вучылішчы, 3 гарадскія чатырохкласныя вучылішчы, 4 вышэйшыя пачатковыя вучылішчы, 18 прыходскіх і 10 царкоўнапрыходскіх школ, мужчынскае і жаночае духоўныя вучылішчы, 20 прыватных навучальных устаноў, школа сясцёр міласэрнасці, чыгуначнае вучылішча, рамесная школа, камерцыйнае вучылішча, каля 40 грамадскіх арганізацый і таварыстваў, 5 цэркваў і 2 праваслаўныя манастыры, 4 касцёлы, 2 сінагогі, лютэранская кірха, мячэць, рэдакцыі 5 перыядычных выданняў, 2 музеі, тэатр, тэатр-вар'етэ «Акварыум», 3 электратэатры, публічная бібліятэка, 15 друкарняў і літаграфій. Забудова горада на цэнтральных вуліцах складалася з мураваных двух- і трохпавярховых даходных дамоў, а адным з найвышэйшых з'яўлялася шасціпавярховая гасцініца «Еўропа». Месцам адпачынку гараджан былі Аляксандраўскі сквер, Губернатарскі сад з велатрэкам і летнім тэатрам.

348. Такой была цяперашняя вуліца Інтэрнацыянальная ад вуліцы Леніна ў бок Энгельса.

348. This is what Internatsianalnaya Street looked like if seen from Lenin to Engels Street.

349. Падгорная вуліца на скрыжаванні з Серпухаўскай. Цяпер гэта вуліцы Маркса і Валадарскага. Два будынкі справа захаваліся.

349. Padgornaya Street where it crossed Serpukhauskaya Street. Now they are streets named after K.Marx and Volodarski. Two buildings on the right-hand side have survived.

350. Перон Віленскага вакзала.

350. Platform of the Wilno railway station.

←

351. Віленскі вакзал Лібава-Роменскай чыгункі. Пабудаваны ў 90-ых гадах XIX ст. на месцы драўлянага. Пасля другой сусветнай вайны рэканструяваны. На гэтым месцы ўзводзіцца новы чыгуначны вакзал Мінск-Пасажырскі.

351. The Wilno station of the Libava-Romno railroad was built in the '90s of the 19th century to replace the wooden structure. It was restored after World War II. A new railway station is being erected in Minsk now.

352. Перон Аляксандраўскага (Брэсцкага) вакзала.

352. Platform of the Alyaksander (Brest) railway station.

353. Пераезд Лібава-Роменскай чыгункі. Цяпер тут злучаюцца вуліцы Маскоўская і Мяснікова.

353. A junction at the Libava-Romno railroad. Today Maskouskaya and Miasnikov Streets meet here.

354. Аляксандраўскі (Брэсцкі) вакзал Маскоўска-Брэсцкай чыгункі. Пабудаваны ў 1871 годзе. Будынак гарэў двойчы, апошні раз у час Вялікай Айчыннай вайны. Цяпер тут станцыя Таварная.

354. The Alyaksander (Brest) railway station of the Moscow-Brest railroad was built in 1871. It was twice destroyed by fire, the second one occuring during World War II. Today it is Tavarnaya railway station.

355. Казённая палата з дабудаваным паверхам і шпілем.

355. The tax inspectorate with the added floor and spear.

356. Саборная плошча, цяпер плошча Свабоды. Другі будынак — дом губернатара* (былы корпус калегіума езуітаў XVII—XVIII стст.). У час Паўночнай вайны ў ім спыняліся Пётр Першы, гетман Мазепа, кароль Карл XII.

356. Sabornaya (Cathedral), now Svabody (Freedom) Square. The second building is the Governor's house* (formerly a building of the jesuitical collegium of the 17th—18th centuries). During the Nordic War Peter I, hetman Mazepa and King Charles XII stayed in it.

357. Мужчынскае духоўнае вучылішча*. Помнік архітэктуры класіцызму. Знаходзілася на рагу Койданаўскай (Рэвалюцыйнай) вуліцы і Саборнай плошчы. Пабудавана ў другой палове XVIII ст. Цяпер тут адміністрацыйны будынак.

357. The men's secular school*, classic architecture monument. It was built in the second half of the 18th century and stood on the corner of the Koidanauskaya (Revalutsiynaya) Street and Sabornaya (Cathedral) Square. Now it is used as an administrative building.

358. Саборная плошча. У другім будынку справа (дом Гайдукевіча) працаваў тэатр «Казіно».

358. Sabornaya (Cathedral), Square. The second building on the right (Gaidukevich's house) was the Casino theatre.

359. Прысутныя месцы*. Размяшчаліся ў будынку былога базыльянскага мужчынскага кляштара XVII ст. Рэканструяваны ў XIX ст. у стылі класіцызму. У 1803 годзе тут была адкрыта ўрадавая гімназія, дзе вучыліся паэт-рамантык, адзін з сяброў А. Міцкевіча, Т. Зан, кампазітар С. Манюшка і ўдзельнік паўстання 1863—1864 гадоў заолаг, урач, даследчык Сібіры Б. Дыбоўскі. У пачатку XX ст. знаходзіўся акруговы суд. Цяпер у будынку — абласны савет прафсаюзаў.

359. Public offices* took up the building of the former St Basil's men's Monastery of the 17th century. It was reconstructed to match classicism in the 19th century. In 1803 a public gymnasium was opened here whose students were T.Zan, romance poetry writer and friend of A.Mickiewicz, composer S.Moniuszko, B.Dybovski, participant of the 1863—1864 insurrection, zoologist, physician and Siberia researcher. Today the building belongs to the local trade unions.

360. Кафедральны Петрапаўлаўскі сабор. Перабудаваны ў XIX ст. у псеўдарускім стылі з рэнесанснага будынка уніяцкай Святадухаўскай царквы XVII ст. Сабор не збярогся. Ён знаходзіўся на Саборнай плошчы побач з будынкам прысутных месц.

360. Peter and Paul's Cathedral. It was reconstructed in the 19th century to match pseudo-Russian style ideas, whereas before it was a Renaissance Unia Church of the Holy Spirit of the 17th century. The Cathedral was not preserved. It stood on Sabornaya (Cathedral) Square near the administrative building.

361. Касцёл кляштара бернардзінак*. Пабудаваны ў стылі барока ў XVII ст. Уваходзіў у ансамбль плошчы Высокага рынку (сучасная плошча Свабоды). У ім знаходзіцца праваслаўны кафедральны сабор.

361. The Bernardine Monastery Catholic Church* was executed in baroque in the 17th century making part of the High Market square architecture, now Svabody (Freedom) Square. Today it is an Orthodox Cathedral.

362. Саборная плошча. Будынак былога Гасцінага двара XVIII—XX стст.* У 1909 годзе рэканструяваны ў стылі мадэрн. У ім размяшчаліся Азова-Данскі банк, купецкі клуб, аптэка і крамы.

362. Sabornaya (Cathedral) Square. The building of the former 18th—20th century shopping centre. In 1909 it was reconstructed to match modernist style and housed the Azov-Don Bank, merchant's club, pharmacy and shops.

364. Саборная плошча. Стаянка рамізнікаў ля сквера.

364. Sabornaya (Cathedral) Square. Cab parking area near the garden.

↓

363. Руска-Азіяцкі банк, знаходзіўся ў трохпавярховым будынку побач з гасцініцай «Еўропа». У XIX ст. гэта гарадскі тэатр. У 1852 годзе на яго сцэне была пастаўлена на лібрэта В. Дуніна-Марцінкевіча на музыку С. Манюшкі і К. Кжыжаноўскага першая беларуская камічная опера «Ідылія» пад назвай «Сялянка».

363. The Russian-Asian Bank occupied a three-storeyed building next to the Hotel "Europa". In the 19th century it was turned into a theatre. In 1852 Belarussia's first fun opera "Idyll" (Peasant Lady) was staged here. The libretto to the music by S.Moniuszko and K.Kzyzhanouski was written by V.Dunin-Martsinkevich.

365. Школьны двор і сінагога. Знаходзілася на Школьнай вуліцы. Цяпер на гэтым месцы праектны інстытут (плошча Свабоды і вуліца Няміга).

365. The school yard and the Synagogue were situated in Shkolnaya Street. Today there stands a design institute (Freedom Square and Nyamiga Street).

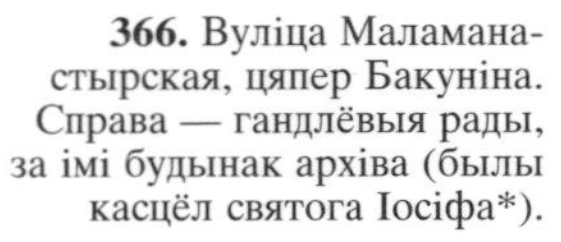

366. Вуліца Маламанастырская, цяпер Бакуніна. Справа — гандлёвыя рады, за імі будынак архіва (былы касцёл святога Іосіфа*).

366. Malamanastyrskaya, now Bakunin Street. On the right are the commercial rows followed by an archives building (former Catholic Church of St Joseph*).

367. Петрапаўлаўская вуліца, цяпер Энгельса. Удалечыні відаць касцёл дамініканскага кляштара XVII—XVIII стст.

367. Petrapaulauskaya, now Engels Street. Farther along one can see a Catholic Church of the 17th—18th century Dominican Monastery.

368. Школьная вуліца ад плошчы Саборнай да Новамясніцкай. Дамы і вуліца не захаваліся.

368. Shkolnaya Street from Sabornaya (Cathedral) Square to Novamiasnitskaya. Neither the houses nor the street have survived.

369. Губернатарская вуліца, цяпер Леніна. Від ад Саборнай плошчы. Дом злева — гасцініца «Еўропа». Самая вялікая на той час ў Паўночна-Заходнім краі. Пры ёй знаходзіліся жаночая і мужчынская цырульні. У кожным нумары былі тэлефон, электраасвятленне, ванна. Працаваў ліфт.

369. Governor's (Lenin) Street. View from Sabornaya Square. The building on the left is the Hotel "Europa", at that time the biggest hotel in the north-west of Europe. Attached to it were a barber's shop and a hairdresser's saloon. Each room had a telephone, electric lighting and a bathroom. There was an elevator.

370. Шасціпавярховая гасцініца «Еўропа» — «нёбаскроб» тагачаснага горада, пабудавана ў 1906— 1909 гадах у стылі мадэрн на месцы старой трохпавярховай. Гасцініца стаяла паміж сучасным кафэ «Пінгвін» і рэстаранам «Патсдам». Разбурана фашысцкай авіябомбай у чэрвені 1941 года.

370. The six-storeyed building of the Hotel "Europa" was a sky-scraper of those days. It was built in 1906—1909 in modernist style to replace the old three-storeyed hotel. The hotel would stand between today's "Penguin" cafe and "Potsdam" restaurant. It was destroyed by a fascist bomb in June 1941.

371. Пошта. Чатырохпавярховы будынак яе знаходзіўся на Губернатарскай вуліцы, непадалёку ад Падгорнай (К. Маркса). У першым двухпавярховым будынку — друкарня Дворжаца, дзе былі надрукаваны многія творы В. Дуніна-Марцінкевіча.

371. The post-office. Its four-storeyed building was situated in Gubernatarskaya Street close to Padgornaya (K.Marx) Street. The first two-storeyed building was the Dvorzhats printer, many works of V. Dunin-Martsinkevich were printed there.

372. Мужчынская гімназія. Пабудавана ў 1844 годзе ў стылі класіцызму на рагу вуліц Губернатарскай і Падгорнай. У гімназіі вучыліся вядомыя суайчыннікі: мастак і пісьменнік Б. Залескі, этнограф і пісьменнік А. Ельскі, пісьменнікі Я. Лучына, Ядзвігін Ш., жывапісец Ф. Рушчыц, вядомыя дзеячы беларускага адраджэння браты Іван і Антон Луцкевічы. Цяпер на месцы будынка і саду сквер, а сама вуліца Леніна значна пашырана.

372. The men's gymnasium was built in 1844 in classic style on the corner of Gubernatarskaya and Padgornaya Streets. Some of our well-known compatriotes were students of the gymnasium: the artist and writer B.Zaleski, the ethnographer and writer A.Elski, writers Yanka Luchyna and S.Yadzvigin, artist F.Ruschits, the prominent activists of the Belarusian Renaissance brothers Ivan and Anton Lutskevich. Today there is a city garden where the building once stood and the Lenin Street has become much wider.

373. Губернатарская вуліца. Старую забудову ў 50-ыя гады замянілі на новую. Тады ж заклалі і цяперашні сквер.

373. Gubernatarskaya Street. The old structure was replaced with a new one in the '50s. The mini-park was founded at the same time.

374. Від на Траецкае прадмесце і Верхні горад.

374. View of the Traetskaye Pradmestye settlement and the Verkhni (Upper) Town.

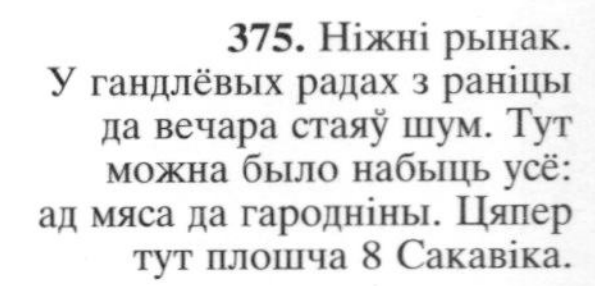

375. Ніжні рынак. У гандлёвых радах з раніцы да вечара стаяў шум. Тут можна было набыць усё: ад мяса да гародніны. Цяпер тут плошча 8 Сакавіка.

375. Commercial rows of the Lower market. The place was very busy from morning till night. One could buy all kinds of meat, fruit and vegetables there. Now the place has the name of the 8th of March.

376. Касцёл*, пабудаваны ў 1839 годзе ў эклектыцы раманскага і гатычнага стыляў на Кальварыйскіх могілках. Пад алтарнай часткай касцёла пахаваны вядомы беларускі мастак XIX стагоддзя Ян Дамель.

376. A Catholic Church* built in 1839, combines the Romanesque and the Gothic styles and stands in the Calvary cemetery. Buried under the altar part of the church is the prominent Belarusian artist of the 19th century Ian Damel.

377. Піваварны завод* «Багемія». Заснаваны ў 1894 годзе графам Чапскім. У 1896 годзе куплены братамі Лекерт. Знаходзіўся з левага боку вуліцы Аляксандраўскай (М. Багдановіча). Цяпер піўзавод «Беларусь».

377. The "Bohemia" brewery*. Founded in 1894 by Count Chapsky, it was bought in 1896 by the Lekkert brothers. It was located on the left side of the Alyaksandrauskaya (M.Bagdanovich) Street. Now it houses the "Belarus" brewery.

378. Духоўная семінарыя, пабудавана ў канцы XIX ст. на Аляксандраўскай вуліцы. Яе закончыў геолаг, географ, хімік і прыродазнавец, даследчык Поўначы К. Валасовіч. У 20—30-ыя гады тут размяшчаліся пяхотныя курсы, потым — сярэдняя вайсковая навучальная ўстанова. Пасля перабудовы ў 1955 годзе (архітэктар Г. Заборскі) — сувораўскае вучылішча.

378. The Church Seminary built at the end of the 19th century in Alyaksandrauskaya Street. K:Valasovich, a geologist, geographer, chemist, local lore scholar and explorer of the North, graduated from the seminary. In the '20s—'30s, the united Belarusian military school was housed here. After the reconstruction of 1955 (architect G.Zaborski) it was turned into the Suvorov Military School.

379. Шпалерная фабрыка. Заснавана ў 1881 годзе на вуліцы Новамаскоўскай. Сёння на гэтым месцы вытворчае аб'яднанне «Прамень» (Няміга, 30).

379. The wall-paper factory. It was founded in 1881 in Novamaskouskaya Street. Today the "Pramen" factory (30, Nyamiga) is located there.

380. Трэцяе жаночае яўрэйскае вучылішча. Знаходзілася на Новамаскоўскай вуліцы, цяпер Мяснікова.

380. The 3rd Jewish Women's College. It also stood in Novamaskouskaya, now Miasnikov Street.

381. Капліца і чыгуначная царква, знаходзіліся на рагу вуліц Захар'еўскай (Савецкая) і Новамаскоўскай.

381. The chapel and the railway men church were located on the corner of Zakharieuskaya (Savetskaya) and Novamaskouskaya Streets.

382. Мячэць на Вялікай Татарскай вуліцы ў пачатку XX ст.

382. The mosque in Bolshaya Tatarskaya Street in the early 20th century.

383. Вуліца Захар'еўская ў бок Багадзельнай (Камсамольскай). Была названа ў гонар першага грамадзянскага губернатара Захара Карнеева, які займаў гэту пасаду ў 1796—1806 гадах. Цяпер тут магазін «Чараўніца».

383. Zakharieuskaya Street down to Bagadzelnaya (Kamsamolskaya) Street. It was named in honour of the first civil Governor Zakhar Karneyev who held the post from 1796 to 1806. Now it is a dwelling block with the "Charaunitsa" store on the ground floor.

384. Касцёл Сымона і Алены*, пабудаваны ў 1908—1910 гадах у псеўдараманскім стылі на Захар'еўскай вуліцы (плошча Незалежнасці). Мінчане назвалі яго Чырвоным.

384. The Catholic Church of Simon and Helen* was built in 1908—1910 in pseudo-Romanesque style in Zakharieuskaya Street (Ne-zalezhnasc Square). The people of Minsk call it "The Red Church".

385. Захар'еўская вуліца. Цяпер праспект Францішка Скарыны ў раёне кнігарні «Падпісныя выданні».

385. Zakharieuskaya Street. Now it is Francisk Skaryna Avenue near the pre-subscription bookstore.

386. Гасцініца «Гарні». Цяпер месца перакрыжавання праспекта Ф. Скарыны з вуліцай Камсамольскай. На месцы гасцініцы стаіць жылы дом з гастраномам (праспект Скарыны, 16).

386. The Hotel "Garni". Now the crossing of F.Skaryna Avenue with Kamsamolskaya Street. A dwelling block with a grocery store on the ground floor is in its place today (16, Skaryna Avenue).

387. Цёмны будынак — гасцініца «Адэса», а за ім светлы — Польскі банк. Цяпер на іх месцы Цэнтральная кнігарня.

387. The darker building is the Hotel "Odessa" and the lighter one behind it is the Polish Bank. There is a central bookstore today.

388. Гасцініца «Адэса». Пры ёй быў адкрыты рэстаран «Мядзведзь». У 1913 годзе ў гасцініцы спыняўся Янка Купала.

388. The Hotel "Odessa" with the "Miadzvedz" restaurant. Yanka Kupala stayed in the hotel in 1913.

389. Замест гэтых будынкаў на Захар'еўскай вуліцы цяпер універсам «Цэнтральны» і ўваход у метро на станцыі «Кастрычніцкая».

389. These buildings in Zakharieuskaya Street have been replaced by a supermarket and an entrance to "Kastrychnitskaya" underground station.

390. Губернская земская ўправа на Захар'еўскай вуліцы. Тут у 1916—1917 гадах працаваў Максім Багдановіч. Цяпер на гэтым месцы дом з магазінамі «Паўлінка» і «Ласунак».

390. The regional Executive Council in Zakharieuskaya Street. Maxim Bagdanovich worked here in 1916—1917. Today there is a dwelling block with "Paulinka" and "Lasunak" stores.

391. Мінская конка. Конны трамвай з'явіўся на вуліцах горада ў 1892 годзе, а ў 1929 годзе яго змяніў электрычны.

391. The Minsk horse-driven tram. It first appeared in the streets of Minsk in 1892 and in 1929 it was replaced by an electricity-driven vehicle.

392. Гасцініца «Новамаскоў-ская». Цяпер тут Нацыянальны банк Рэспублікі Беларусь.

392. The Hotel "Novamas-kouskaya". Today there is the building of the Republic's National Bank.

393. Лютэранская кірха. Пабудавана ў 1846 годзе. Цяпер на гэтым месцы жылы дом з рэстаранам «Нёман».

393. The Lutheran Church, built in 1846. A dwelling block is in its place now with "Neman" restaurant on the ground floor.

394. Гасцініца «Парыж» стаяла побач з лютэранскай кірхай. Цяпер тут жылы дом.

394. The Hotel "Paris" stood next to the Lutheran Church. Now there is a dwelling block.

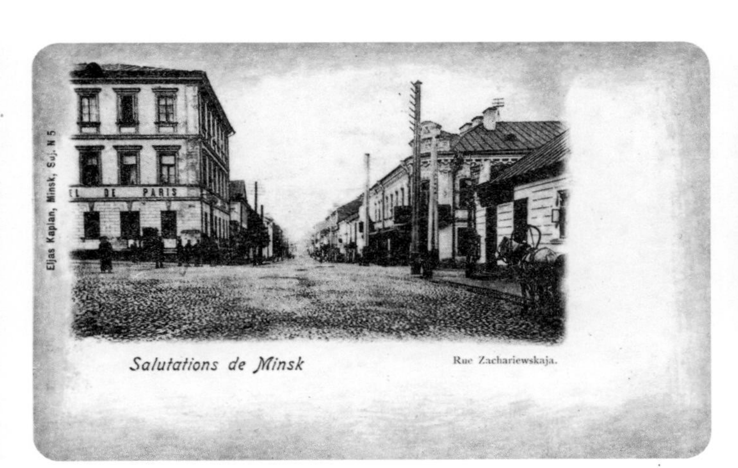

395. Уваход у Аляксандраўскі сквер*. Цяпер Цэнтральны сквер ля тэатра Янкі Купалы. Закладзены ў 1872 годзе. У 1912 годзе тут знаходзілася стаянка першага ў Мінску аўтатаксі.

395. Entrance to the Alyaksandrauski mini-park*. Now it is the central mini-park near the Yanka Kupala theatre. It was founded in 1872 and in 1912 the Minsk's first taxi-stop was located here.

396. Гандлёвая частка Захар'еўскай вуліцы. Перад намі тэатр нямога кіно «Эдэн» (1909 г.). Цяпер на гэтым месцы універсам «Цэнтральны».

396. The commercial part of Zakharieuskaya Street. In the forefront is the "Eden" mute cinema building. Supermarket "Tsentralny" is in its place today.

397. Аляксандраўскі сквер. У цэнтры яго знаходзіўся фантан са скульптурнай кампазіцыяй «Хлопчык з лебедзем»* (італьянскі скульптар Л. Берніні). Фантан устаноўлены ў 1874 годзе.

397. The Alyaksandrauski mini-park. In its centre there was a fountain featuring a boy and a swan designed by the Italian sculptor L.Bernini*. The fountain has been there since 1874.

398. Адрэзак цяперашняга праспекта Ф. Скарыны ад вуліцы Чырвонаармейскай да вуліцы Ф. Энгельса. З левага боку Аляксандраўскі сквер. На месцы будынкаў цяпер Кастрычніцкая плошча.

398. A part of the modern F.Skaryna Avenue from Chyrvonarmeiskaya to Engels Streets. The Alyaksandrauski mini-park is on the left. The buildings have been pulled down and replaced by Kastrychnitskaya Square.

399. Вуліца Захар'еўская ў бок Скобелеўскай (Чырвонаармейская). Цяпер на месцы гэтых дамоў Кастрычніцкая плошча.

399. Zakharieuskaya Street down to Skobeleuskaya (Chyrvonarmeiskaya). Now the place is called Kastrychnitskaya Square.

400. Захар'еўская вуліца ў бок Скобелеўскай. Справа двухпавярховы мураваны будынак — рэальнае вучылішча. У паслярэвалюцыйны час у гэтым будынку знаходзіўся педтэхнікум, дзе працавалі Якуб Колас і Міхайла Грамыка.

400. Zakharieuskaya Street down to Skobeleuskaya. The two-storeyed concrete building on the right is an engineering college. After the Revolution it was a teacher-training college whose professors were Yakub Kolas and Mikhail Gramyka.

401. Троіцкі касцёл святога Роха*, пабудаваны з цэглы ў 1861—1864 гадах у канцы Захар'еўскай вуліцы на былых каталіцкіх могілках Залатая Горка. У ім цяпер канцэртная зала камернай і арганнай музыкі і парафіяльны касцёл.

401. The Holy Trinity Catholic Church of St Rochus*. It was built of brick in 1861—1864 at the end of Zakharieuskaya Street in the former catholic cemetery called the Golden Gorka. Today it functions as a chamber and organ music hall and a parish church.

402. Драўляны будынак з вежамі ў Губернатарскім садзе. Зімой на Свіслачы адкрываўся каток.

402. A wooden building with towers in the Gubernatarski Garden. In winter they made a skating-rink on the Svisloch.

403. У летнім тэатры Губернатарскага саду праходзілі прадстаўленні мясцовых і вандроўных тэатральных труп.

403. The summer theatre in the Gubernatarski Garden used to welcome local and touring companies' performances.

404. Велатрэк Мінскага таварыства веласіпедыстаў-аматараў у Губернатарскім садзе.

404. The cycling track of the Minsk amateur cyclists' club in the Gubernatarski Garden.

405. Уваход у Губернатарскі сад. Закладзены ў 1800 годзе губернатарам З. Карнеевым. Цяпер парк імя Горкага.

405. Entrance to the Gubernatarski Garden. The Garden was founded by Governor Z.Karneyeu in 1800. Today it is called M.Gorki park.

Мінск Minsk

406. Петрапаўлаўская вуліца на скрыжаванні з Захар'еўскай. Першы будынак злева — гасцініца «Парыж» да яе рэканструкцыі, справа — Аляксандраўскі сквер.

406. Petrapaulauskaya Street where it crossed with Zakharieuskaya. The first building on the left is the Hotel "Paris" before the renovation. On the right is the Alyaksandrauski mini-park.

407. Так выглядала на пачатку XX стагоддзя вуліца Петрапаўлаўская (цяпер Энгельса).

407. This is what Petrapaulauskaya (Engels) Street looked like in the early 20th century.

408. Петрапаўлаўская вуліца на скрыжаванні з Падгорнай. На пярэднім плане будынак Дваранскага сходу. Тут адбываліся тэатральныя прадстаўленні, праходзілі выстаўкі садаводства і кветкаводства.

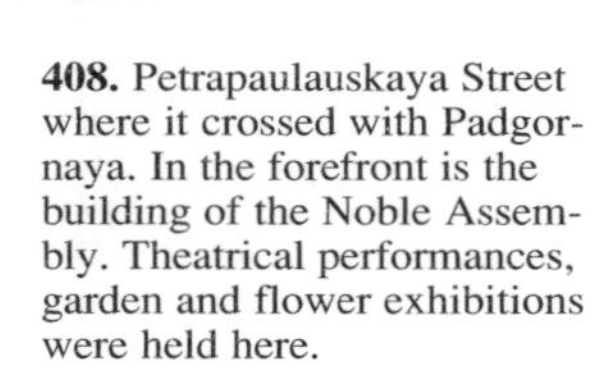

408. Petrapaulauskaya Street where it crossed with Padgornaya. In the forefront is the building of the Noble Assembly. Theatrical performances, garden and flower exhibitions were held here.

409. Гарадскі тэатр. Пабудаваны ў Аляксандраўскім скверы ў 1890 годзе (архітэктар К. Казлоўскі). З 1920 года — першы беларускі дзяржаўны тэатр. Пасля рэканструкцыі ў 1958 годзе будынак страціў свой прыгожы класічны выгляд. З 1994 года — Нацыянальны акадэмічны тэатр імя Янкі Купалы.

409. The city theatre built in the Alyaksandrauski mini-park in 1890 by architects K.Kazlouski. Since the year 1920 it has been called the Belarusian National Theatre. After the reconstruction in 1958 the building lost its original beauty. Since 1994 it has been called the Yanka Kupala National Academic Theatre.

410. Мінскае аддзяленне Дзяржаўнага банка, адкрылася ў 1881 годзе. У 30-ыя гады будынак рэканструяваны, цяпер у ім Нацыянальны музей гісторыі і культуры Рэспублікі Беларусь.

410. The Minsk branch of the National Bank was opened in 1881. After the reconstruction in the '30s it was transformed into the National Museum of Belarusian History and Culture.

411. Першае гарадское чатырохкласнае вучылішча. Знаходзілася на Падгорнай вуліцы паміж Губернатарскай і Багадзельнай у раёне цяперашняга Дома архітэктараў.

411. The first 4-year school of the city. It stood on the Padgornaya Street between Gubernatarskaya and Bagadzelnaya near where the House of Architects is today.

412. Марыінская жаночая гімназія*, адкрыта ў 1899 годзе на вуліцы Падгорнай. У ёй вучыліся народныя артысткі Лідзія Ржэцкая і Вера Пола. Цяпер тут тэлефонная станцыя (вул. К. Маркса, 29).

412. The Maryinskaya women's gymnasium* was opened in 1899 in Padgornaya Street. Prominent actors Lidia Rzhetskaya and Vera Pola were its students. Today it is a telephone exchange office (29, K.Marx Street).

413. Падгорная вуліца (К. Маркса), пачыналася ля Каломенскай (Свярдлова). Старая архітэктура не захавалася.

413. Padgornaya (K.Marx) Street began from Kalomenskaya (Sverdlov) Street. The old architecture has not survived.

414. Спуск ад вуліцы Падгорнай да вуліцы Паліцэйскай (Янкі Купалы) і Губернатарскага саду. На месцы драўлянай хаты, што на рагу вуліцы, цяпер шматпавярховы будынак.

414. Padgornaya Street going down to Palizeiskaya (Yanka Kupala) Street and the Gubernatarski Garden. The wooden house on the corner has been replaced by a multi-storeyed block.

415. Аляксандраўскі (Цэнтральны) сквер. Закладзены ў 1872 годзе.

415. The Alyaksandrauski (Central) mini-park was founded in 1872.

416. Архірэйскі дом і Пакроўская царква (1885 г.) па вуліцы Скобелеўскай (Чырвонаармейская). Царква знаходзілася на месцы цяперашняга Дома афіцэраў.

416. Archbishop's house and the Church of the Intercession (1885) in Skobeleuskaya (Chyrvonarmeiskaya) Street. The church stood where the Army Palace is today.

417. Даходны дом багатага гараджаніна Ахмеда Офлі* (вул. Янкі Купалы, 5).

417. A hire-house of the rich man Ahmed Ofli* (5, Yanka Kupala Street).

418. Гімназія Фальковіча. Знаходзілася на рагу вуліц Скобелеўскай і Магазіннай. Цяпер на гэтым месцы будынак аднаго з факультэтаў Белдзяржуніверсітэта.

418. The Falkovich gymnasium was situated on the corner of Skobeleuskaya and Magazinnaya Streets. Today the building of one of the faculties of the Belarusian State University has taken its place.

419. Земскі музей. Стаяў на рагу вуліц Скобелеўскай і Падгорнай. Цяпер на гэтым месцы помнік-танк.

419. The district museum stood on the corner of Skobeleuskaya and Padgornaya Streets. Today there is a monument tank.

420. Такі выгляд меў будынак Грамадскага сходу ад вуліцы Скобелеўскай.

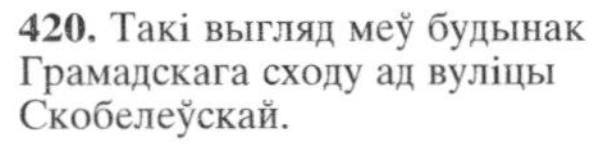

420. This is what the Popular Council building looked like in Skobeleuskaya Street.

421. Шпітальная вуліца. Цяпер вуліца Фрунзе ў бок Першамайскай.

421. Shpitalnaya (now Frunze) Street down to Pershamaiskaya.

422. Юр'еўская вуліца ў бок Петрапаўлаўскай. Двухпавярховы будынак з правага боку на дальнім плане — рэстаран «Акварыум». Рэстаран знаходзіўся за цяперашнім музеем Вялікай Айчыннай вайны. Гэта месца цяпер перакрыла новая забудова і гмах Рэспубліканскага палаца культуры.

422. Yurieuskaya Street down to Petrapaulauskaya. The two-storeyed building in the background on the right is the "Aquarium" restaurant which was situated behind the now Museum of the Great Patriotic War. Today new buildings have sprung up here including the giant of the Republic's Palace of Culture.

423. Тэатр-рэстаран «Акварыум», адкрыўся ў 1905 годзе. Яго асноўнымі наведвальнікамі былі мінскія багацеі. Тут знаходзілася вар'етэ, дзе выступалі цыганскі хор Бержэ, струнны аркестр з пятнаццаці музыкантаў, танцавальныя групы. У 1920-ым тут працаваў беларускі тэатр Уладзіслава Галубка.

423. The "Aquarium" restaurant-theatre was opened in 1905. It was mostly frequented by the local magnates. There was a variety show with a gypsy choir led by Berget, a 15-musician string orchestra, dance groups. In 1920 the Uladzislau Galubok Belarusian theatre performed here.

424. Багадзельная вуліца і прагімназія. Цяперашняя Камсамольская ў бок Інтэрнацыянальнай. Будынкі не захаваліся.

424. Bagadzelnaya Street and a gymnasium. Kamsamolskaya Street of today down to Internatsianalnaya. The buildings are no longer there.

425. Паліцэйская вуліца, цяпер Янкі Купалы ў раёне далучэння да яе вуліцы К. Маркса.

425. Polizeiskaya (Yanka Kupala) Street where it is joined by K.Marx Street.

426. Серпухаўская вуліца ў бок Магазіннай (Кірава). Будынкі не захаваліся.

426. Serpukhauskaya Street down to Magazinnaya (Kirov) Street. The buildings have been pulled down.

427. Захар'еўскі завулак. Дом літаратурна-артыстычнага таварыства.

427. Zakharieuski Lane. The house of literature and art society.

428. Харальная сінагога. Знаходзілася на Серпухаўскай вуліцы. У даваенны час — кінатэатр «Культура». Цяпер у рэканструяваным будынку Рускі драматычны тэатр імя Горкага.

428. The choral Synagogue stood in Serpukhauskaya Street. Before the war it functioned as a cinema called "Culture". Later it was reconstructed to house the M.Gorki Russian Drama Theatre.

429. Дэпо першага ў Мінску пажарнага таварыства. Пабудавана ў 1885 годзе. Знаходзілася на вул. Новараманаўскай (Рэспубліканская). Будынак не захаваўся.

429. The garage of the Minsk fire brigade N 1 built in 1885. It was situated in Novaramanauskaya (Respublikanskaya) Street. The building has been lost.

430. Рэальнае вучылішча на Серпухаўскай вуліцы, цяпер Валадарскага.

430. The natural sciences school in Serpukhouskaya, now Volodarski Street.

431. Вуліца Серпухаўская з боку Захар'еўскай. Будынак з вежай знаходзіўся побач з сінагогай.

431. Serpukhauskaya Street as seen from Zakharieuskaya. The building with a tower stood next to the Synagogue.

433. Упраўленне Лібава-Роменскай чыгункі*. Будынак у стылі мадэрн, узведзены ў пачатку XX ст. на рагу вуліц Серпухаўскай і Магазіннай. Цяпер тут кафэ «Мядуха».

433. The Libava-Romno Railroad Authority*. The mo-dernist style building was erec-ted in the early 20th century on the corner of Serpukhauskaya and Magazinnaya Streets. "Myadukha" cafe is there now.
→

432. Праабражэнская вуліца (Інтэрнацыянальная) у бок Саборнай плошчы. Першы будынак — гасцініца «Мачыз». Старая забудова часткова захавалася.

432. Praabrazhenskaya (Internatsionalnaya) Street down to Sabornaya (Cathedral) Square. The first building is the Hotel "Machyz". The old site has been partially preserved.

434. Праабражэнская вуліца. Справа шпіль царквы Праабражэнскага манастыра XIX ст., перабудаванага з кляштара бернардзінак XVII ст. Старая забудова не захавалася, акрамя дома на пярэднім плане. На месцы агароджы і саду цяпер кінатэатр «Перамога».

434. Praabrazhenskaya Street. On the right is the spear of the 19th century Transfiguration Monastery Church which was built in the place of the 17th century bernardine monastery. The old site has not survived, except for the house in the foreground. Where the fence and the garden used to be, now stands "Peramoga" cinema.

435. Новая чыгуначная царква. Пабудавана ў псеўдавізантыйскім стылі ў пачатку XX ст. непадалёку ад вакзала.

435. The new railroad authority church. It was built according to the pseudo-Byzantine style in the early 20th century near the railway station.

436. Садовая вуліца не існуе. Знаходзілася ў раёне цяперашняга сквера Янкі Купалы. Першы будынак з левага боку — ваенны сход. У 1914 годзе ў ім быў адкрыты настаўніцкі інстытут, дзе працаваў выкладчыкам беларускі гісторык і грамадскі дзеяч акадэмік У.М. Ігнатоўскі.

436. Sadovaya Street is gone. It lay in the whereabouts of the Yanka Kupala mini-park. The first building on the left is the military headquarters.

In 1914 a teacher-training institute was opened in the building. U.Ignatouski, a prominent Belarusian historian and public figure was employed here as a lecturer.

437. Прыватная гімназія Рэймана*.

437. The Reiman private gymnasium*.

Mstsislau

Мсціслаў

438. Тупічоўскі манастыр. Заснаваны ў 1641 годзе. Царква Успення Багародзіцы і кляштар не захаваліся.

438. The Tupichov monastery built in 1641. The Church of the Ascension of the Virgin and the monastery are no longer there.

Павятовы горад Магілёўскай губерні на правым беразе ракі Віхры. У летапісе ўпамінаецца каля 1135 года. У 1634 годзе атрымаў магдэбургскае права, а герб — у 1781-ым. Па перапісе 1897 года, жыхароў было 8647 чалавек, а ў пачатку XX стагоддзя колькасць іх перайшла за 10 тысяч. На гэты час у горадзе меліся 30 фабрык, заводаў і іншых прамысловых прадпрыемстваў са 102 рабочымі, 3 бальніцы, 4 багадзельні, аптэка, добраахвотнае пажарнае таварыства, 7 цэркваў, касцёл, сінагога, 9 малітоўных дамоў, мужчынскі кляштар, мужчынская гімназія, гарадское духоўнае вучылішча, 2 прыходскія вучылішчы, прыватная жаночая гімназія, прыватнае вучылішча, дабрачыннае таварыства, музычна-драматычны гурток, 5 грамадскіх таварыстваў, 4 бібліятэкі, друкарня, 2 кнігарні, 2 фатаграфіі і 6 гасцініц.

Забудова горада была пераважна драўляная. З каменнай архітэктуры вылучаліся храмы, гімназія, гарадское вучылішча ды некалькі адміністрацыйных будынкаў. Паўночна-ўсходняя ўскраіна Мсціслава даволі жывапісная па рэльефу, яе складалі глыбокія яры, Замкавая, Дзявочая і Траецкая горы. Адтуль вырысоўваўся своеасаблівы сілуэт горада.

Мсціслаў — Mstsislau

439. Смаленская вуліца, цяпер Пралетарская. Зараз тут новая забудова.

439. Smalenskaya, now Praletarskaya Street. A new block is here today.

440. Касцёл кармелітаў*. Пабудаваны ў XVII ст. у стылі барока, перабудоўваўся ў XVIII і XIX стст. Вядомы сваімі фрэскамі з тэматыкай горада.

440. The Carmelite Catholic Church*. It was built in the 17th century in baroque and reconstructed in the 18th and 19th centuries. The Church is known for its frescoes with scenes of the city life.

441. Казначэйства* і Троіцкая царква*. У былым будынку казначэйства — райвыканком. Троіцкая царква (XIX ст.) страціла званіцу і купал. З правага боку дрэвы гарадскога саду — цяпер парк.

441. The Treasury* and the Holy Trinity Church*. The District Council has replaced the Treasury, whereas the Church has lost the bell-tower and the dome. On the right are the trees of the city garden later turned into a park.

442. Від на горад з Траецкай гары. Злева Мікалаеўскі сабор XVIII—XIX стст.* (былы касцёл езуіцкага кляштара). Справа — касцёл кармелітаў*.

442. View of the city from Traetskaya Gara (the Holy Trinity Hill). On the left is the 18th—19th centuries* Cathedral of St Nicholas which used to function as a Catholic Church of a jesuitical Monastery. On the right is the Carmelite Catholic Church*.

г. Мстиславль Могилевской губ. № 11.
Общій видъ.

г. Мстиславль Могилевской губ.
Аптека. Городское училище. Женская гимназія.

443. Саборная вуліца, цяпер Савецкая. Першы будынак — аптэка, другі — гарадское вучылішча*, за ім драўляны — жаночая прыватная гімназія. У будынку вучылішча зараз навучальная ўстанова.

443. Sabornaya (Cathedral), now Savetskaya Street. The first building is a pharmacy, the second - the city college. The wooden building behind it is the a women's private gymnasium. Where the college was, there is a new education establishment.

г. Мстиславль Могилевской губ. № 9.
Александро-Невская церковь.

444. Аляксандра-Неўская царква*. Пабудавана ў псеўдарускім стылі ў 1870 годзе.

444. The Church of Aleksander Nevski*, built in 1870 following pseudo-Russian style.

Мсціслаў

445. Мікалаеўскі сабор* і духоўнае вучылішча*. Былы езуіцкі кляштар і касцёл. У XIX ст. касцёл перабудаваны ў сабор. Рэктарам вучылішча ў 1814—1822 гадах працаваў вядомы беларускі мовазнаўца І.І. Насовіч.

445. The Church of St Nicholas* and the church school*, formerly a jesuitical monastery and a Catholic Church. In the 19th century the church was trtansformed into a cathedral. I.Nasovich, a well-known Belarusian linguist was the school's vice-chancellor in 1814-1822.

446. У калідоры мужчынскай гімназіі*. Яна была адкрыта ў 1906 годзе. Цяпер сярэдняя школа на вул. Першамайскай.

446. The corridors of the men's gymnasium* which was opened in 1906. Today it is a secondary school in Pershamaiskaya Street.

447. У гэтым будынку* размяшчаліся павятовы з'езд, грамадскі сход і прысутныя месцы. Цяпер тут жылы дом на рагу вуліц Пралетарскай і Першамайскай. Толькі капліčка* Мікалаеўскага сабора страціла верхняе ўпрыгожанне.

447. This building* used to house the district congress, the public assembly and some offices. Now it is a dwelling block on the corner of Praletarskaya and Pershamaiskaya Streets. The chapel* of the Church of St Nicholas has lost its exterior decoration.

Navagrudak

Навагрудак

Павятовы горад Мінскай губерні з 1842 года. Упершыню ўпамінаецца ў летапісах 1216-га і 1252 гадоў. У 1511-ым атрымаў магдэбургскае права і герб, пацверджаны ў 1595 годзе. У пачатку XX стагоддзя насельніцтва налічвалася больш за 8 тысяч чалавек. У горадзе меўся гільзавы завод з 25 рабочымі, 2 бальніцы, 2 аптэкі, паштова-тэлеграфная кантора, казначэйства, турэмны замак, добраахвотнае пажарнае і дабрачыннае таварыствы, таварыства выхавання малалетніх дваранскіх сірот, 2 царквы, 2 касцёлы, сінагога, мячэць, 6 малітоўных дамоў, гарадское чатырохкласнае вучылішча, прыходскія мужчынскае і жаночае вучылішчы. У цэнтры горада знаходзілася Рынчачная плошча з каланаднымі гандлёвымі радамі. Горад выдзяляўся высокай замкавай гарой з руінамі вежаў старажытнага замка і гарой, вядомай як магіла Міндоўга.

448. Від на горад з усходняга і...

448. View of the city from the eastern and ...

449. На месцы будынкаў справа ад гандлёвых радоў цяпер сквер і дом-музей Адама Міцкевіча.

449. The buildings to the right of the commercial rows have been replaced by a mini-park and the House-Museum of Adam Mickiewicz.

450. ...паўночнага боку.

450. ...northern sides.

451. Дом А. Міцкевіча. Тут прайшлі дзіцячыя і юнацкія гады паэта, у ім бывалі вядомыя дзеячы польскай і беларускай культуры і літаратуры: М. Канапніцкая, Э. Ажэшка, В. Каратынскі, Я. Чачот і інш. У 1887 годзе дом адноўлены пасля пажару. У час Вялікай Айчыннай ён і будынкі, што побач, былі зруйнаваны. У 1955 годзе дом адноўлены. У ім адкрылі музей.

451. The house of A.Mickiewicz where the poet spent his childhood and adolescence. The house was visited by prominent workers of Polish and Belarusian culture and literature: M.Kanapnitskaya, E.Orzeszkowa, V.Karatynski, Y.Chachot and others. The house was restored in 1887 after a fire. During World War II the house and the nearby buildings were razed to the ground. In 1955 the house was restored and a museum was opened in it.

452. Цяпер тут пралягла вуліца 1 Мая. Перад намі — фарны касцёл XVIII ст.*, у якім 22 лютага 1799 года хрысцілі Адама Міцкевіча.

452. The 1st of May Street is here today. Standing in the foreground is a 18th century central Catholic Church* in which Adam Mickiewicz was baptized on February 22, 1799.

453. Руіны Навагрудскага замка*. Злева цэнтральная вежа Шчытоўка, з правага боку — рэшткі касцельнай вежы. Па тым, што захаваў час, можна меркаваць аб узоры абарончага дойлідства XIII—XVI стст.

453. The ruins of the Navagrudak castle*. On the left is the central tower called Schytouka. On the right — the remains of the church tower. The remaining parts would remind an interested viewer of the 13th—16th centuries defense architecture.

454. Барысаглебская царква*, неаднаразова рэканструявалася. У XIX ст. фасад яе набыў псеўдарускі стыль.

454. The Church* of SS Boris and Gleb has been renovated several times. In the 19th century its facade was reconstructed to match the pseudo-Russian style.

455. Рыначная плошча, цяпер плошча Леніна. Большасць будынкаў захавалася, акрамя гандлёвых радоў.

455. Rynacnaya (Market) Square, now named after Lenin. Most of the buildings, except the commercial rows, are still there.

456. Такую мячэць мелі навагрудскія татары.

456. This is the mosque where the Navagrudak Tatars would pray.

457. Міхайлаўскі касцёл дамініканскага кляштара*. Пабудаваны ў стылі барока ў XVIII ст.

457. The Dominican Monastery Catholic Church of St Michael* was built in baroque in the 18th century.

Nyasvizh

Нясвіж

Заштатны горад Слуцкага павета Мінскай губерні на рацэ Уша. Упершыню ўпамінаецца ў летапісе пад 1223 годам. У 1568 годзе атрымаў магдэбургскае права і герб. На рубяжы XIX і XX стагоддзяў насельніцтва налічвалася каля 6 тысяч, а ў 1908-ым — ужо 9375 чалавек. Асаблі-

458. Мост і ўязная брама ў замак Радзівілаў з боку горада*.

458. The bridge and the entrance gate to the Radziwill castle viewed from town*.

вым эканамічным развіццём горад не вылучаўся. Тут меліся суконная фабрыка і спіртаачышчальны завод, паштова-тэлеграфная кантора, добраахвотнае пажарнае таварыства, натарыус, бальніца і амбулаторыя, сіроцкі суд, царква, якая знаходзілася ў будынку гарадской ратушы, 2 касцёлы, сінагога і 7 малітоўных дамоў, настаўніцкая семінарыя, вышэйшае пачатковае, 2 народныя і прыходскае вучылішчы, прыватная жаночая гімназія.

У цэнтры горада на Рыначнай плошчы знаходзіўся стары будынак ратушы, гандлёвыя рады і мураваныя дамы мяшчан і гандляроў вакол яе. Славутасць горада — старажытны барочны замак Радзівілаў з прыгожымі паркамі і штучнымі азёрамі.

459. Старая паштоўка захавала ранейшае аблічча «Дома на рынку». Пабудаваны ў стылі гданьскага барока на Рыначнай плошчы. З'яўляецца унікальным узорам гарадскога жылля першай паловы XVIII ст. Падобнага збудавання ў Беларусі няма.

459. The old postcard shows how the House in the Market looked in the old days. It was built according to the Gdansk baroque style in the Rynacnaya (Market) Square and is a unique specimen of urban dwelling of the first half of the 18th century. There are no similar buildings in Belarus today.

460. Уязная брама ў замак з усходняга боку*. У даваенны час былі перабудаваны мураваныя слупы. Захаваўся домік за брамай з правага боку.

460. The entrance gate to the castle from the eastern side*. The concrete posts were renewed after the war. The house with a gate on the right has stood till today.

461. Гарадская ратуша*. Пабудавана ў XVI ст. на Рынчнай плошчы. З трох бакоў яе акружаюць гандлёвыя рады. Як і ў даўнія часы, сёння тут размешчаны магазіны.

461. The City Hall*. It was erected in the 16th century in the Market Square and is lined with commercial rows on three sides. Like before, there are shops around it now.

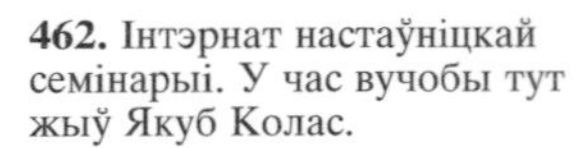

462. Інтэрнат настаўніцкай семінарыі. У час вучобы тут жыў Якуб Колас.

462. The teacher-training college hostel. Yakub Kolas lived here when a student.

463. Студэнцкая вуліца, цяпер Ленінская. Будынкі і сквер з правага боку зберагліся.

463. Studentskaya (Leninskaya) Street. The buildings and the mini-park on the right are still there.

464. Настаўніцкая семінарыя. Адкрыта ў 1875 годзе ў былым кляштары дамініканцаў. Вучыліся тут Якуб Колас, беларускія этнографы і фалькларысты А. Сержпутоўскі і А. Багдановіч, пісьменнік К. Чорны і інш. Злева будынак былой дамініканскай школы. У 1833—1835 гадах тут вучыўся вядомы беларускі і польскі паэт-дэмакрат Уладзіслаў Сыракомля.

464. The teacher-training college was opened in 1875 in the former Dominican Monastery. Yakub Kolas, Belarusian ethnographers and folk-lore researchers A.Serzhputouski and A.Bagdanovich, writer K.Chorny and other would-be men-of-letters were students at the college. On the left is the building of the former dominican school. In 1833-1835, a well-known Belarusian and Polish poet-democrat Uladzislau Syrakomlia was its student.

465. Віленская вуліца, цяпер Савецкая ад былой Рыначнай плошчы ў бок Слуцкай брамы. Будынак аптэкі (справа) не захаваўся.

465. Vilenskaya Street, now called Savetskaya, stretching from the Market Square to the Slutsk Gate. The pharmacy (right) is now gone.

466. Бальніца і амбулаторыя для бедных, закладзеныя адным з князёў Радзівілаў. Цяпер тут вуліца Чкалава з новай забудовай.

466. A hospital and an outpatient clinic for the poor founded by one of the Radziwills. Today there is Chkalov Street with modern buildings.

467. Вышэйшае пачатковае вучылішча* на Студэнцкай вуліцы. На месцы брамы дом дабудаваны. Цяпер у ім раённы вузел сувязі.

467. The high primary college in Studentskaya Street. Where the gate was is a building housing a local communication office.

468. Прыватная жаночая гімназія*, знаходзілася побач з пачатковым вучылішчам.

468. The women's private gymnasium* was located next to the primary college.

469. Від на замак* з боку Марысінага парку. Заснаваны ў XVI ст. як рэзідэнцыя князёў Радзівілаў. У будаўніцтве замка ўдзельнічаў італьянскі архітэктар Ян Марыя Бернардоні. Пасля пажару ў XVIII ст. перабудоўваўся. Цяпер у ім санаторый.

469. View of the castle* from Marysia's park. It was founded in the 16th century to become residence of the Radziwills. Jan Maria Bernardoni, the Italian architect, was one of the castle's designers. After a fire in the 18th century it was rebuilt and now it is a sanatorium.

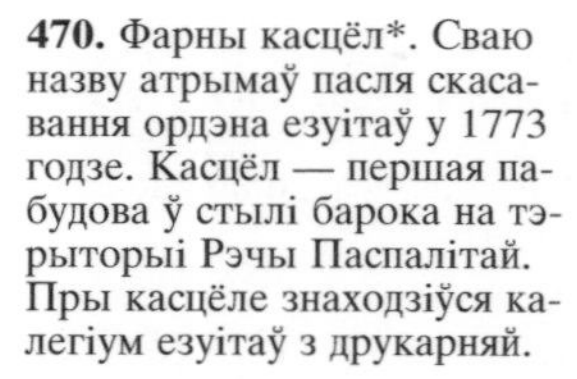

470. Фарны касцёл*. Сваю назву атрымаў пасля скасавання ордэна езуітаў у 1773 годзе. Касцёл — першая пабудова ў стылі барока на тэрыторыі Рэчы Паспалітай. Пры касцёле знаходзіўся калегіум езуітаў з друкарняй.

470. The central Catholic Church*. It took its name after the jesuitical order had been banned in 1773. The Church is the first baroque building on the territory of Rzeczpospolita. Attached to the Church were a jesuitical collegium and a print-house.

Orsha

Орша

Павятовы горад Магілёўскай губерні на берагах Дняпра і яго прытока Аршыцы. Упершыню ў пісьмовых крыніцах упамінаецца пад 1067 годам. У 1620 годзе атрымаў магдэбургскае права і герб. Па перапісе 1897 года, насельніцтва ў ім было 13 161 чалавек, а ў 1912-ым — 21 583. Горад пачаў інтэнсіўна развівацца з пракладкай Маскоўска-Брэсцкай чыгункі і лініі Віцебск—Жлобін, якая злучала Оршу з Пецярбургам. Тут меліся буйныя грузавая і пасажырская параходная прыстані з лініяй Орша—Магілёў, аддзяленні Віленскага і Арлоўскага камерцыйных банкаў, 44 фабрыкі і заводы з 206 рабочымі, 6 цэркваў, 3 манастыры, касцёл, сінагога, 2 бібліятэкі, 2 друкарні, 2 фатаграфіі, летні тэатр, тэатр нямога кіно, 8 гасцініц, жаночая гімназія, рэальнае і гарадское вучылішчы, 2 прыходскія вучылішчы, 5 прыватных навучальных устаноў. У горадзе налічвалася 56 вуліц, завулак і 3 гарадскія плошчы.

471. Пакроўская царква і духоўнае вучылішча*. Былы кляштар базыльян. Царква была пабудавана ў 1758—1774 гадах у стылі барока і называлася царквой Апекі Маці Боскай. Яна не захавалася. Будынак вучылішча цяпер выкарыстоўваецца як жылы дом на Музейным завулку.

471. The Church of the Intercession and the church school*. The former Monastery of St Basil's followers. The Church was built in 1758-1774 in baroque and was called the Church Guarded by the Mother of God. It has not survived. The college building is used today as a dwelling house in Museum Lane.

472. Від на горад з гары ў раёне сучаснай вуліцы Кірава.

472. View of the town from the hill near today's Kirov Street.

473. Параходная прыстань. Знаходзілася на правым беразе Дняпра. Насупраць — Ільінская царква*.

473. The steamer quai was located on the right bank of the Dnieper. Facing it is the Church of St Elijah.

474. Пантонны мост праз Дняпро. Замест яго ўзведзены новы, жалезабетонны, які злучае вуліцы Камсамольскую і Магілёўскую.

474. The pantoon bridge across the Dnieper has been replaced by a reinforced concrete bridge which connects Kamsamolskaya and Magileuskaya Streets.

475. Так выглядаў першы чыгуначны вакзал. Цяпер на гэтым месцы аддзяленне перавозкі пошты. Захаваўся пераезд праз чыгунку ад былой Вакзальнай вуліцы.

475. A view of the first railway station. Today a mail shipment office is in its place. The railway crossing from the former Vakzalnaya Street is still there.

476. Новы чыгуначны вакзал быў пабудаваны недалёка ад старога, які згарэў у Вялікую Айчынную вайну.

476. A new railway station was built not far from the old one which was destroyed by a fire in World War II.

477. Гарадское вучылішча* і сабор, знаходзіліся на Сабornай плошчы. У будынку вучылішча цяпер філіял архіва Віцебскай вобласці.

477. The city college* and the Cathedral were in Sabornaya (Cathedral) Square. The archives of the Vitsebsk province are kept in the college building now.

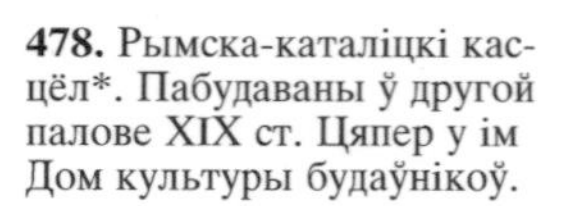

478. Рымска-каталіцкі касцёл*. Пабудаваны ў другой палове XIX ст. Цяпер у ім Дом культуры будаўнікоў.

478. The Roman-Catholic Church* was built in the latter half of the 19th century. Today it serves as a palace of culture for civil engineers.

479. Жаночая гімназія*. Цяпер педагагічнае вучылішча, навучэнцам якога ў 1930—1932 гадах быў двойчы Герой Савецкага Саюза маршал І. І. Якубоўскі.

479. The women's gymnasium*, now a teacher-training college where in 1930—1932 I.Yakubovski, the marshall and twice Hero of the Soviet Union was a student.

480. Гарадская ўправа з пажарнай вежай, знаходзілася на Саборнай плошчы. Цяпер на гэтым месцы жылы будынак з цырульняй «Святлана».

480. The city administrative building with a fire-tower were located in Sabornaya (Cathedral) Square. Today they have been replaced by "Svetlana" hairdresser's.

481. Кінатэатр нямога кіно «Мадэрн» у гарадскім садзе.

481. The "Modern" mute cinema hall in the city garden.

482. Рэальнае вучылішча*. Зараз у будынку сярэдняя школа.

482. The natural sciences college*. Nowadays it is a secondary school.

483. Магілёўская вуліца, цяпер Камсамольская. Са старых часоў застаўся мураваны двухпавярховы дом з левага боку.

483. Magileuskaya (Kamsamolskaya) Street. The concrete two-storeyed building on the left side is the only survivor.

484. Пецярбургская вуліца, цяпер Леніна. Сёння тут новая забудова.

484. Petersburgskaya, now Lenin Street. Everything is new here today.

Орша Orsha

485. Бераг Дняпра. Штабялі камянёў, якія ўкладваюць рабочыя, у якасці будаўнічага матэрыялу адпраўлялі на парусных лайбах у розныя куткі беларускага і ўкраінскага Падняпроўя.

485. The Dnieper embankment. The stones piled by the workers served as a construction material and were carried on sailing rafts to various parts of the Belarusian and Ukrainian trans-Dnieper lands.

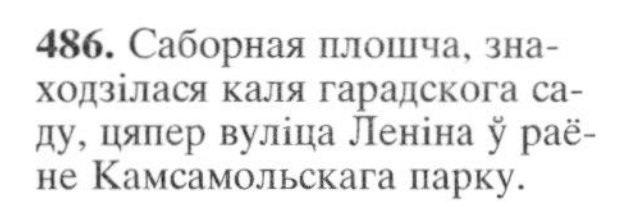

486. Саборная плошча, знаходзілася каля гарадскога саду, цяпер вуліца Леніна ў раёне Камсамольскага парку.

486. Sabornaya (Cathedral) Square was situated near the city garden, now Lenin Street near the Kamsamolski Park.

487. Куцеінскі Успенскі жаночы манастыр XVII ст., знаходзіўся непадалёку ад Богаяўленскага мужчынскага манастыра. На гэтым месцы цяпер новы мікраараён.

487. The 17th century Kutein women's Monastery of the Ascension stood not far from the men's monastery of the Apparition of God. Today there are new residential areas.

488. Ільінскі рынак. Цяпер на яго месцы вуліца Францішка Скарыны.

488. The Ilynski Market has been replaced by Francisk Skaryna Street.

Паставы

Цэнтр валасці Дзісненскага павета Віленскай губерні на рацэ Мядзелцы. Вядомы з 1522 года. З другой паловы XVIII стагоддзя належаў вядомаму палітычнаму і грамадскаму дзеячу А. Тызенгаўзу. У 1796 годзе атрымаў герб. Па перапісе насельніцтва 1897 года, налічвалася жыхароў 2397 чалавек. Ад часоў Тызенгаўза захаваліся каменныя палац, млын, шмат дамоў рамеснікаў і гандляроў у цэнтры мястэчка. У пачатку XX стагоддзя тут размяшчаліся паштова-тэлеграфная кантора, пажарнае таварыства, царква, касцёл, афіцэрская кавалерыйская школа.

489. Афіцэрская кавалерыйская школа, знаходзілася на ўскраіне былой Віленскай вуліцы (Савецкая) насупраць цяперашняга аўтапарка. Гэта месца яшчэ называлі «Парфорснае паляванне» — паляванне на конях з сабакамі англійскай пароды. Будынак разбураны ў першую сусветную вайну.

489. The officer's cavalry school was located at the end of Vilenskaya (Savetskaya) Street opposite the place where the carpark is today. The place was also nicknamed "The Perforce Hunt", i.e. a hunt on horses with hounds of British origin. The building was destroyed during World War I.

←
490. Палац Тызенгаўза*. Помнік архітэктуры класіцызму XVIII—XIX стст. Будаўніцтва палаца звязана з імем падскарбія Вялікага княства Літоўскага Антонія Тызенгаўза. Затым тут знаходзіўся музей, у якім было сабрана каля трох тысяч чучал розных птушак. Зараз у будынку раённая паліклініка.

490. The Tyzengauz Palace* is a monument of the 18th—19th century classic architecture. The name of the building is associated with Antonius Tyzengauz, the Treasurer of the Great Principality of Lithuania. Later it was turned into a museum where a collection of about three thousand stuffed birds was kept. Today the Palace serves as a local out-patient clinic.

Pinsk

Пінск

Павятовы горад Мінскай губерні на левым беразе ракі Піны ля ўпадзення яе ў Прыпяць. У 1581 годзе атрымаў магдэбургскае права і герб. Па перапісе 1897 года, насельніцтва было 27 938 чалавек. На пачатку XX стагоддзя мелася 5 бальніц, 3 аптэкі, 3 царквы, мужчынскі манастыр, 2 касцёлы, 2 сінагогі, паштова-тэлеграфная кантора, турэмны замак, 22 фабрыкі і заводы з 1100 рабочымі. Станцыя Палескай чыгункі, суднаходства на Прыпяці. У 1908 годзе насельніцтва павялічылася да 35 908 чалавек. Акрамя грузавой прыстані мелася параходная пасажырская з лініямі Пінск—Кіеў, Пінск—Любяшаў і Пінск—Целяханы. У горадзе меліся Азова-Данскі камерцыйны банк, рэстаран, тэатр, кінатэатр, рэальнае вучылішча, жаночая гімназія, 6 прыходскіх школ, 2 пачатковыя вучылішчы, 2 прыватныя гімназіі, 3 прыватныя пачатковыя навучальныя ўстановы, мужчынскае духоўнае вучылішча, кнігарні, фатаграфіі, крамы і розныя адміністрацыйныя ўстановы.

491. Від на калегіум* і езуіцкі касцёл з правага берага Піны. Пабудаваны ў 1631—1635 гадах у стылі барока з элементамі рэнесансу. З 1638 года тут знаходзілася езуіцкая філасофска-тэалагічная школа. У XVIII ст. — друкарня і аптэка, а з 1800 года — праваслаўны мужчынскі Богаяўленскі манастыр. У будынку калегіума зараз гісторыка-краязнаўчы музей.

491. View of the collegium* with a Jesuitical Catholic Church from the right bank of the Pina. It was built in 1631—1635 in baroque mixed with Renaissance. After the year 1638 it housed a jesuitical theologic philosophy school. In the 18th century it was a pharmacy and a print-house and since 1800 it had been an Orthodox men's Monastery of the Apparition of God. The collegium building is now occupied by a museum and a picture gallery.

492. Так выглядаў горад у пачатку стагоддзя.

492. The appearance of the town at the beginning of the current century.

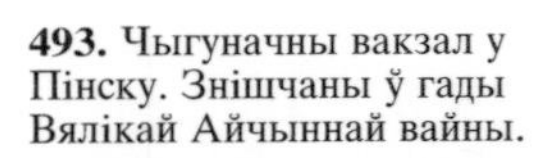

493. Чыгуначны вакзал у Пінску. Знішчаны ў гады Вялікай Айчыннай вайны.

493. The Pinsk railway station which was destroyed during World War II.

494. Тэатр Каржанеўскага, знаходзіўся на вуліцы Пецярбургскай, цяпер Першамайская.

494. The Karzhaneuski theatre was in Peterburgskaya Street, now Pershamaiskaya.

495. Рынапная плошча, цяпер плошча Леніна.

495. Rynachnaya (Market) Square, now named after Lenin.

→

496. Рыначная плошча.

496. Rynachnaya (Market) Square.

497. Адзін з прыгажэйшых помнікаў манументальнай архітэктуры касцёл езуітаў (з боку Рыначнай плошчы), пабудаваны ў XVII ст. у стылі барока.

497. The Jesuitical Catholic Church, one of the most beautiful relics of monumental architecture as seen from the Rynachnaya (Market) Square. It was erected in the 17th century in baroque.

498. Хведараўскі сабор на Пецярбургскай вуліцы. На яго месцы цяпер кінатэатр «Дружба».

498. St Theodor's Cathedral in Peterburgskaya Street. "Druzhba" cinema occupies the place today.

499. Пецярбургская вуліца ў раёне перакрыжавання з Завальнай. Засталіся двухпавярховы і наступныя дамы. Пажарная вежа не захавалася.

499. Peterburgskaya Street where it crossed with Zavalnaya. The two-storeyed house and those following it have survived. The fire watchtower has gone.

500. Вуліца Вялікая Кіеўская ад кляштара францысканцаў* у бок Рыначнай плошчы.

500. Vialikaya Kieuskaya Street from the Franciscan Monastery* down to the Rynachnaya (Market) Square.

501. Вуліца Вялікая Кіеўская — адна з самых старажытных вуліц Пінска. Яна мела розныя назвы: Вялікая Спаская, Вялікая Францысканская, вуліца Т. Касцюшкі, з 1939 года — вуліца Леніна.

501. Vialikaya Kieuskaya Street is one of the oldest streets in Pinsk. It used to be called Spaskaya, Vialikaya Franciskanskaya, T. Kasciushki. Since 1939 it has been called Lenin Street.

502. Рэальнае вучылішча* (другі будынак). У 1858 годзе тут адкрыта першая на Піншчыне гімназія, з 1864-га — рэальная гімназія, з 1872-га — рэальнае вучылішча, у якім вучыўся будучы вядомы архітэктар, акадэмік І. Жалтоўскі.

502. The natural sciences school* (the second building). The first Pinsk province gymnasium was opened here in 1858. In 1864 it became a natural sciences gymnasium and in 1872 — a natural sciences college. Academician I.Zhaltouski, the future prominent architect was a student here.

503. Касцёл францысканцаў*, пабудаваны ў XVI—XVIII стст. у стылі барока. Званіца — у 1817 годзе*. На месцы драўлянага дома цяпер сквер.

503. The Franciscan Catholic Church* was built in the 16th—18th centuries in baroque. The bell-tower* was added in 1817. The wooden house has been replaced by a mini-park.

504. Саборная вуліца, цяпер Горкага. Мураваны будынак* злева страціў архітэктурныя ўпрыгожанні.

504. Sabornaya (Cathedral) Street, now named after Gorki.The concrete building* on the left has lost its architectural decorations.

505. Жаночая гімназія на Брэсцкай вуліцы.

505. The women's gymnasium in Brestskaya Street.

506. Палац Бутрымовіча*. Помнік архітэктуры XVIII ст. у стылі барока з элементамі класіцызму.

506. The Butrymovich Palace* is an architectural monument of the 18th century. It combines baroque with classicism.

507. Від на кляштар францысканцаў* ад ракі Піны. Ансамбль кляштара мае выключнае значэнне ў фарміраванні гарадскога архітэктурнага сілуэта. Адкуль сёння ні паглядзі на горад — бачны прыгожыя абрысы кляштарных вежаў і званіцы.

507. View of the Franciscan Monastery* from the Pina. The monastery complex plays an important part in forming the architectural layout of the city. Whatever point one might choose to look at it, the beautiful towers including the bell-tower would be in sight.

508. Непадалёку ад кляштара знаходзілася прыстань, куды прычальвалі параходы з партоў Чорнага і Балтыйскага мораў. Рачны вакзал і порт цяпер знаходзяцца вышэй па цячэнні.

508. Not far from the Monastery there was a quai where steamers from the Black and the Baltic Seas would moor. The river station and the port are now located way up the river.

509. Касцёл Карла Барамеуша*, пабудаваны ў 1770—1782 гадах па фундацыі Караля Дольскага на сродкі, сабраныя манахамі.

509. The Karl Barameush Catholic Church* was erected in 1770—1782. The construction was funded by Karal Dolski, the money having been collected by monks.

510. Купецкая вуліца, цяпер Кірава. У першым будынку зараз сярэдняя школа.

510. Kupetskaya (Kirov) Street. There is a secondary school in the first building today.

511. Набярэжная і прыстань.

511. The embankment and the quai.

512. Рэстаран «Марсель» на Плеўскай вуліцы.

512. "Marseille" restaurant in Pleuskaya Street.

513. На гэтай жа вуліцы знаходзіўся і Азова-Данскі банк*.

513. The Azov-Don commercial bank* used to stand in the same street.

514. Турэмная вуліца, цяпер Савецкая. Шмат будынкаў збераглося да нашых дзён.

514. Turemnaya, now Savetskaya Street. Most of the buildings have lived till today.

515. Страпчаўская вуліца, цяпер Чарняхоўскага. Будынкі захаваліся да нашых дзён.

515. Strapchauskaya, now Chernyakhovski Street. The buildings are all there.

516. Так выглядала на пачатку нашага стагоддзя вуліца Інжынерная, цяпер В. Харужай.

516. This is what V.Kharuzhai Street looked like at the beginning of this century. In those days it was called Inzhynernaya.

517. Першы гарадскі кінатэатр «Казіно», пабудаваны на пачатку XX ст. на рагу вуліц Інжынернай і Прадольна-Школьнай (В. Каржа). Цяпер тут кінатэатр «Радзіма».

517. The town's first cinema "Casino" was built in the early 20th century on the corner of Inzhynernaya and Pradolna-Shkolnaya (Karzha) Streets. The cinema is now called "Radzima".

518. На адной з вуліц у час першай сусветнай вайны.

518. One of the streets in the times of World War I.

Polatsk

Полацк

Павятовы горад Віцебскай губерні з 1802 года. Стаіць на берагах Заходняй Дзвіны і ўпадаючай у яе Палаты. У 1498 годзе атрымаў магдэбургскае права, з XVI стагоддзя меў герб. Па перапісе 1897 года, насельніцтва налічвалася 20 751 чалавек. Рыга-Арлоўская чыгунка і параходная прыстань давалі магчымасць весці гандаль з многімі гарадамі і дзяржавамі Еўропы. Дзякуючы гэтаму эканоміка Полацка інтэнсіўна развівалася. У пачатку XX стагоддзя насельніцтва тут налічвалася звыш 24 тысяч. У горадзе меліся гандлёвыя рады, каля 500 крамаў і лавак, 21 прамысловае прадпрыемства са 120 рабочымі, 2 бальніцы, 3 аптэкі, гарадскі банк, 8 цэркваў, касцёл, лютэранская кірха, сінагога, 7 грамадскіх таварыстваў, 5 бібліятэк, 16 гасцініц, навучальныя ўстановы — кадэцкі корпус, настаўніцкая семінарыя, жаночае і мужчынскае духоўныя вучылішчы, 2 гімназіі, 2 гарадскія вучылішчы, паштовае вучылішча, 3 прыходскія вучылішчы, 3 прыватныя вучэбныя ўстановы. На ўскраіне горада меўся манастыр, заснаваны князёўнай Ефрасінняй Полацкай, і пры ім 3 царквы.

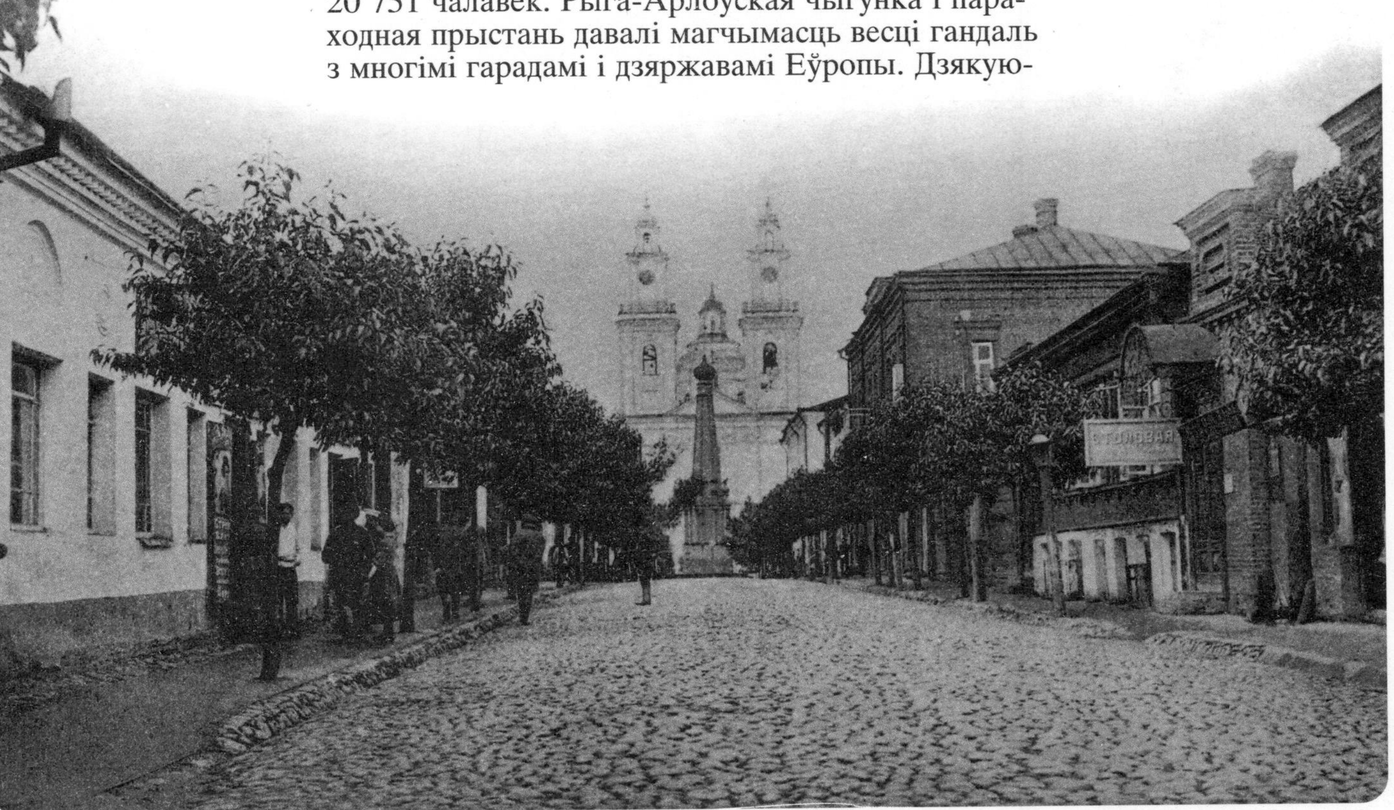

519. Віцебская вуліца, цяпер праспект Карла Маркса. Двухпавярховы будынак з правага боку захаваўся. На месцы будынкаў злева — сквер.

519. Vitsebskaya Street, now named after K.Marx. The two-storeyed building on the right is still there. There is a mini-park on the left today.

520. Вакзал Полацк-1. Знаходзіўся ў раёне сучасных аўта- і чыгуначнага вакзалаў.

520. Polatsk-1 railway station was located in the whereabouts of today's railway and bus stations.

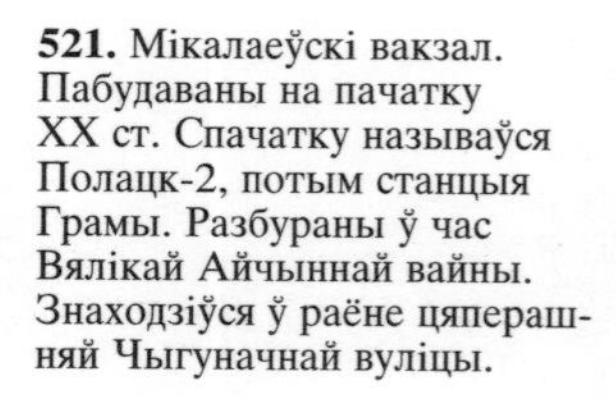

521. Мікалаеўскі вакзал. Пабудаваны на пачатку XX ст. Спачатку называўся Полацк-2, потым станцыя Грамы. Разбураны ў час Вялікай Айчыннай вайны. Знаходзіўся ў раёне цяперашняй Чыгуначнай вуліцы.

521. The Mickalaeuski railway station was built in the early 20th century. At first it was called Polatsk-2 and then it was renamed into Gramy station. During World War II it was destroyed. The station was located in the place where Chygunachnaya Street is today.

522. Цяпер праз Заходнюю Дзвіну замест драўлянага — жалезабетонны мост, які злучае галоўную частку горада з Задзвіннем.

522. Today a reinforced concrete bridge has replaced a wooden bridge that used to connect the main part of the town with the trans-Dvina part.

Полацк Polatsk

523. Панарама горада з боку Заходняй Дзвіны. Злева Сафійскі сабор, бліжэй Богаяўленская царква, а вышэй Мікалаеўскі сабор.

523. Panorama of the town as viewed from the Zapadnaya Dvina. On the left-hand side is St Sofia's Cathedral, a little closer is the Cathedral of the Apparition of God and a little higher is St Nicholas' Cathedral.

524. Від на вуліцу Ніжнепакроўскую (Леніна) і Заходнюю Дзвіну з Сафійскай гары.

524. View of Nizhnepakrouskaya (Lenin) Street and the Zapadnaya Dvina from St Sofia's Mound.

525. Мікалаеўская (Парадная) плошча і помнік, які быў установлены ў гонар перамогі рускіх войск над напалеонаўскай арміяй у Айчыннай вайне 1812 года. Злева драўляная пажарная вежа, пабудаваная на фундаменце былога дамініканскага кляштара. Цяпер тут плошча Леніна і сквер.

525. Mikalaeuskaya (Paradnaya) Square and the monument which was erected to commewmorate the victory of the Russian troops over the Napoleon army in the Patriotic War of 1812. On the left is a wooden watch-tower, built on the foundation of the former Dominican Monastery. Today there is Lenin Square and a mini-park.

526. Сафійскі сабор*. Помнік архітэктуры полацкай школы дойлідства XI ст. і барока XVIII ст.

526. St Sofia's Cathedral*. A monument of the 11th century Polatsk school of architecture and of the 18th century baroque.

527. Мікалаеўскі сабор. Былы езуіцкі касцёл, пабудаваны ў стылі барока ў XVIII ст. На яго месцы цяпер шматпавярховы жылы дом.

527. St Nicholas' Cathedral, formerly the Jesuitical Catholic Church, built in the 18th century in baroque. Today a multi-storeyed block stands in its place.

528. Спаская вуліца ў бок Мікалаеўскай плошчы.

528. Spaskaya Street down to Mikalaeuskaya Square.

529. Верхні рынак, знаходзіўся на Віцебскай вуліцы паміж Падзвінскай і Задзвінскай. Цяпер тут сквер і кінатэатр «Радзіма».

529. The upper market was located in Vitsebskaya Street between Padzvinskaya and Zadzvinskaya Streets. "Radzima" cinema and a mini-park are there today.

530. Спаса-Ефрасіннеўскае епархіяльнае жаночае вучылішча*. Знаходзілася на Рыжскай вуліцы (Фрунзе) па дарозе ў Спаса-Ефрасіннеўскі манастыр. Зараз тут лясны тэхнікум.

530. The Saviour of Euphrosine women's diocese school* was situated in Ryzhskaya (Frunze) Street on the way to the Saviour of Euphrosine Monastery. Today there is a forestry technical school.

531. Жаночая гімназія. Знаходзілася на Ніжнепакроўскай вуліцы побач з Богаяўленскай царквой*.

531. The women's gymnasium was located in Nizhnepakrouskaya Street, next to the Church of the Apparition of God*.

532. Настаўніцкая семінарыя, адкрыта ў 1872 годзе. Знаходзілася на Мікалаеўскай плошчы.

532. The teacher-training college, opened in 1872, stood in Mikalaeuskaya Square.

533. Кадэцкі корпус*. Былы езуіцкі калегіум XVIII —XIX стст. У калегіуме працавалі выкладчыкамі паэт-гуманіст М. Сарбеўскі, архітэктар Г. Грубер, вучыліся паэты Я. Баршчэўскі, А. Страздас і інш. У 1812 годзе калегіум пераутвораны ў езуіцкую акадэмію, а з 1835-га — у кадэцкі корпус. Зараз тут медыцынская ўстанова.

533. The military school*, formerly a jesuitical collegium of the 18th—19th centuries. The poet-humanist M.Sarbeuski, architect G.Gruber worked as teachers at the collegium. Poets Y.Barscheuski, A.Strazdas and others were students there. In 1812 the collegium was transformed into a jesuitical academy and in 1835 it emerged as a military school. Today it is a medical establishment.

534. Верхнепакроўская вуліца (праспект Карла Маркса ў бок плошчы Леніна). На месцы будынкаў з правага боку зараз сквер.

534. Verkhnepakrouskaya Street, now K.Marx Avenue down to Lenin Square. A mini-park has replaced the buildings shown on the right.

535. Капліца на шляху ў Спаса-Ефрасіннеўскі манастыр. На гэтым месцы сёння стаіць прыватны дом.

535. A chapel on the way to the Saviour of Euphrosine Monastery. A private establishment is there now.

536. Від на раку Палату і Спаса-Ефрасіннеўскі манастыр з боку сучаснай вуліцы Слабадской.

536. View of the Polota river and the Saviour of Euphrosine Monastery from Slabadskaya Street today.

537. Спаса-Ефрасіннеўскі манастыр*. Заснаваны полацкай князёўнай асветніцай Ефрасінняй Полацкай у XII ст. Пасярэдзіне Спаса-Ефрасіннеўская царква XII ст.* З левага боку Праабражэнская царква* (псеўдавізантыйскі стыль XIX ст.). Справа так званая «Цёплая» царква* (XIX ст.).

537. The Saviour of Euphrosine Monastery* was founded by princess-enlightener Euphrosine of Polatsk in the 12th century. In the middle is a 12th century Church of the Saviour of Euphrosine*. On the left is the Church of Transfiguration* (pseudo-Byzantine style of the 19th century). On the right is the so-called "Warm church"* of the 19th century.

538. Дачы за Спаса-Ефрасіннеўскім манастыром. Цяпер тут прыватная забудова па вуліцы Слабадской.

538. Summer houses behind the Saviour of Euphrosine Monastery. A private establishment in Slabadskaya Street is there now.

539. Старажытная царква Узвіжання ў былой летняй рэзідэнцыі уніяцкіх архіепіскапаў. Знаходзілася ў пяці кіламетрах ад горада па Віцебскай шашы.

539. The ancient Church of the Exaltation of the Cross in the former summer residence of the Unia archbishops. It stood five km off town on the Vitsebsk highway.

540. Ля Спаскай царквы ў дзень прывозу святых мошчаў Ефрасінні Полацкай з Кіева-Пячэрскай лаўры ў 1910 годзе для перазахавання іх у царкве.

540. The activities near the Church of the Saviour on the day when the Holy Relics of Euphrosine of Polatsk were transferred from the Kiev-Pechora lavra in 1910 to be reburied in the Church.

Ragachou

Рагачоў

Павятовы горад Магілёўскай губерні на правым беразе Дняпра ля ўпадзення ў яго ракі Друць. Упершыню ўпамінаецца пад 1142 годам. Меў магдэбургскае права, у 1781 годзе атрымаў герб. Насельніцтва, па перапісе 1897 года, было звыш 9 тысяч. У 1912 годзе колькасць яго павялічылася да 24 845 чалавек. Фабрык, заводаў і іншых прамысловых прадпрыемстваў у гэты час было 53 са 176 рабочымі. Дзейнічалі станцыя чыгункі Магілёў—Жлобін, параходная прыстань на пасажырскай лініі Магілёў—Кіеў.

541. Вуліца Папоўская (Савецкая). Справа цяпер парк.

541. Papouskaya (Savetskaya) Street. There is a park to the right of the place.

Акрамя адміністрацыйных устаноў меліся 2 царквы, касцёл, сінагога, бальніца, 2 аптэкі, 4 кнігарні, 2 друкарні, бібліятэка, электратэатр, 2 фатаграфіі, 6 гасцініц, рэальнае вучылішча, мужчынская настаўніцкая семінарыя, гарадское вучылішча, 5 прыходскіх вучылішчаў, прыватная жаночая гімназія і жаночае вучылішча.

Гарадская забудова драўляная, толькі ў цэнтры горада сустракаліся мураваныя будынкі ды на высокім беразе ля паромнай пераправы двухпавярховы будынак старога замка.

542. Від на горад і рэальнае вучылішча.

542. View of the town and the natural sciences school.

543. Сабор Аляксандра Неўскага, знаходзіўся на Саборнай плошчы. Цяпер тут вуліца Леніна.

543. The Aleksander Nevski Cathedral stood in Sabornaya (Cathedral) Square. Now it is Lenin Street.

544. Рэальнае вучылішча*. Пабудавана ў 1906—1907 гадах на вуліцы Іолшынскай (Цымермана). Цяпер тут сярэдняя школа.

544. The natural sciences school*, built in 1906—1907 in Iolshynskaya (Zymmerman) Street. Today it is a secondary school.

545. Від на Саборную плошчу і Быхаўскую вуліцу, цяпер Леніна.

545. View of Sabornaya (Cathedral) Square and Bykhauskaya (Lenin) Street.

546. Прыватная жаночая гімназія на Быхаўскай вуліцы.

546. The private women's college in Bykhauskaya Street.

547. Тэатр «Мадэрн». Пабудаваны ў 1906—1907 гадах на рагу вуліц Быхаўскай і Афіцэрскай. У 1916 годзе тут пачынаў сваю сцэнічную дзейнасць адзін з заснавальнікаў Першага беларускага тэатра К.М. Саннікаў.

547. "Modern" theatre was built in 1906—1907 on the corner of Bykhauskaya and Aficerskaya Streets. In 1916 K. Sannikau, one of the fathers of the Belarusian theatre, began his creative work here.

548. На рагу вуліц Быхаўскай і Васільеўскай (Кірава). У двухпавярховым будынку дома Іолшына знаходзіўся дваранскі сход.

548. The corner of Bykhauskaya and Vasilieuskaya (Kirov) Streets. The town Assembly had its sessions in the two-storeyed Iolshyn building.

549. Быхаўская вуліца (Леніна). З левага боку гарадскі бульвар, цяпер парк.

549. Bykhauskaya (Lenin) Street. On the left is the city boulevard, now a park.

550. Рог вуліц Быхаўскай і Бабруйскай.

550. The corner of Bykhauskaya and Babruiskaya Streets.

551. Такі «транспарт» курсіраваў па вуліцах Рагачова.

551. This kind of transport was popular in Ragachou.

552. Паром на Дняпры.

552. A ferry on the Dnieper.

553. Рыначная плошча.

553. Rynachnaya (Market) Square.

554. Від на прыстань і Замкавую гару. Злева — старажытны замак, справа — спуск да паромнай пераправы.

554. View of the quai and the Castle Hill. On the left is the old castle, on the right — descent to the ferry platform.

Rechytsa

Рэчыца

Павятовы горад Мінскай губерні на беразе Дняпра. Упершыню ўпамінаецца ў летапісе пад 1213 годам. У 1561 годзе атрымаў магдэбургскае права, а ў 1845-ым быў зацверджаны герб. Па перапісе 1897 года, насельніцтва налічвалася 9322 чалавекі, а ў пачатку XX стагоддзя стала больш за 10 тысяч. Тут знаходзіліся вакзал Палескай чыгункі і грузавая прыстань. Дзейнічала пасажырская параходная прыстань на лініі Магілёў—Кіеў. Галоўны занятак жыхароў горада — сплаў лесу. Тут меліся 2 бровары, некалькі млыноў, 2 лесапільні, 2 царквы, касцёл, сінагога, некалькі малітоўных дамоў, земская бальніца, лячэбніца, паштова-тэлеграфная кантора, павятовы сход (клуб), павятовая ўправа, казначэйства, турэмны замак, вольна-пажарнае таварыства, рэальнае вучылішча, 4 прыходскія вучылішчы, рамесная школа, жаночая прыходская школа, народнае вучылішча, прыватная жаночая прагімназія, 2 прыватныя вучылішчы.

555. Чыгуначны мост праз Дняпро.

555. The railway bridge across the Dnieper.

556. Паштова-тэлеграфная кантора* на вуліцы Успенскай. У будынку зараз музычная школа.

556. The post and telegraph office* in Uspenskaya Street. Now it is a music school.

557. Екацярынінскі тракт.

557. Katherine's highway.

558. Прыватная жаночая гімназія*. Цяпер тут гарсавет.

558. The private women's gymnasium*. Today the building of the City Council.

Svislach

Свіслач

Мястэчка Ваўкавыскага павета Гродзенскай губерні. На рубяжы XIX і XX стагоддзяў жыхароў было больш за 3 тысячы. З прамысловых прадпрыемстваў меліся 6 гарбарных, 2 медаварныя і адзін піваварны заводы, царква, касцёл, сінагога, настаўніцкая семінарыя, чатырохкласнае вучылішча, якое ў 1913 годзе пераўтворана ў вышэйшае пачатковае вучылішча. Забудова ў горадзе ў большасці была драўляная.

559. Касцёл і гімназія. Касцёл узведзены ў другой палове XVII стагоддзя. Справа невысокі будынак гімназіі, пабудаваны ў 1802 годзе. Тут вучыліся кіраўнікі паўстання 1863—1864 гадоў К. Каліноўскі і Р. Траўгут, асветнік і краязнавец І. Кулакоўскі, польскія пісьменнікі браты К. і Ю. Крашэўскія, вядомы мастак Н. Орда і інш. З 1876 года ў будынку размяшчалася настаўніцкая семінарыя, у якой працаваў выкладчыкам беларускі этнограф і фальклярыст М. Нікіфароўскі. У правым корпусе былой гімназіі зараз медыцынская ўстанова.

559. A Catholic Church and a gymnasium. The Catholic Church was commissioned in the latter half of the 17th century. The low building on the right is the gymnasium, built in 1802. Leaders of the 1863—1864 insurrection K.Kalinouski and R.Traugut, enlightener and folk-lore researcher I.Kulakouski, Polish writers brothers K. and Y. Krasheuskis, prominent artist N.Orda and others were students of the gymnasium. In 1876 the gymnasium was turned into a teacher-training college where M. Nikifarouski, a prominent Belarusian ethnographer and folk-lore researcher worked as a teacher. The right-hand part of the gymnasium is a medical establishment now.

Slonim

Слонім

З 1795 года — пасля 3-га падзелу Рэчы Паспалітай — цэнтр Слонімскай губерні, а з 1801-га — павятовы горад Гродзенскай губерні. Стаіць на Шчары пры ўпадзенні ў яе ракі Іса. Упершыню ўпамінаецца ў летапісе пад 1252 годам. У 1531 годзе атрымаў магдэбургскае права, а ў 1591-ым — герб. Па перапісе

560. Від на горад.

560. View of the town.

1897 года, жыхароў налічвалася 15 893. Адзін з буйных павятовых гарадоў тагачаснай Беларусі. Праз горад прайшла чыгунка Баранавічы—Беласток. У 1901 годзе меліся 33 фабрыкі і заводы. У 1908 годзе насельніцтва павялічылася да 23 460 чалавек. У гэты час тут працавалі 2 бальніцы, 2 аптэкі, банк, паштова-тэлеграфная кантора 4-га класа, дабрачыннае таварыства, пажарнае таварыства, таварыства ўзаемнай пазыкі, грамадскі сход, рэальнае вучылішча, гарадское чатырохкласнае вучылішча, 3 прыходскія вучылішчы, прыватная гімназія, прыватная прагімназія, 3 пачатковыя прыватныя вучылішчы, сіроцкі дом, 2 царквы, 3 касцёлы, 7 сінагог і малітоўных дамоў. У цэнтры горада на Рыначнай плошчы размяшчаліся гандлёвыя рады.

Слонім Slonim

561. Маставая вуліца, цяпер Янкі Купалы. Будынак у цэнтры захаваўся.

561. Mastavaya (Yanka Kupala) Street. The building in the centre is still there.

562. Разбураны кайзераўскімі войскамі горад у раёне былой Маставой вуліцы.

562. A part of the town around Mastavaya Street destroyed by the Keiser troops.

563. Гандлёвая вуліца, цяпер Першамайская. З левага боку часткова відаць апсіды касцёла Марыі кляштара бернардзінак*, пабудаванага ў сярэдзіне XVII—другой палове XVIII ст.

563. Gandlevaya Street, now Pershamaiskaya. The apses of the Catholic Church of Mary of the Bernardine Monastery* built in mid-17th — latter half of the 18th centuries is conspicuous on the left.

564. Рэальнае вучылішча*. Цяпер сярэдняя школа на вуліцы Чырвонаармейскай.

564. The natural sciences school*. Now it is a secondary school in Chyrvonarmeiskaya Street.

565. Ружанская вуліца, цяпер Патрыса Лумумбы. На пярэднім плане ларкі Рыначнай плошчы.

565. Ruzhanskaya (Patrice Lumumba) Street. In the foreground are the kiosks of Rynachnaya (Market) Square.

566. Жаночая гімназія* на Паліцэйскай вуліцы, адкрыта ў 1910 годзе ў былым заезным доме «Аўстэрыі». Будынак пабудаваны ў XVIII ст. пры палацы М.К. Агінскага. Цяпер будынак міжшкольнага вучэбнага вытворчага камбіната.

566. The women's gymnasium* in Palizeiskaya Street was opened in 1910 in the former guest-house "Austeriya". The building was attached to the M. Aginski Palace in the 18th century. Today it is the building of inter-school professional training centre.

567. Саборная вуліца, цяпер Пушкіна. Злева вежа сабора XIX ст. Зараз тут сквер.

567. Sabornaya (Cathedral), now Pushkin Street. On the left is the 19th century Cathedral tower. Today there is a mini-park.

568. Саборная вуліца.

568. Sabornaya (Cathedral) Street.

Slutsk

Слуцк

Павятовы горад Мінскай губерні на беразе Случы і яе прытоку рацэ Бычок. Упершыню ўпамінаецца ў летапісе пад 1116 годам. У 1441 годзе атрымаў магдэбургскае права, а ў 1652-ім — гарадскі герб. Па перапісе 1897 года, жыхароў было 14 180 чалавек, а ў 1908-ым — 15 984. У горадзе

569. Уваход у кляштар. Будынак брамы з вежай не захаваўся.

569. Entrance to the monastery. The gate with the tower is no longer there.

570. Сабор, пабудаваны ў псеўдавізантыйскім стылі на Замкавай гары. Цяпер на яго месцы Дом культуры.

570. The Cathedral built in pseudo-Byzantine style on the Zamkavaya Mound. Today a Palace of Culture is in its place.

меліся 8 фабрык і заводаў, 1081 рамеснік, 3 бальніцы, 2 аптэкі, дзіцячы сад, казначэйства, турэмны замак, гарадскія і павятовыя адміністрацыйныя ўстановы, камітэт апякунства па народнай цвярозасці, таварыства дапамогі вучням гімназіі, 8 цэркваў, мужчынскі праваслаўны манастыр, касцёл, 2 кальвініскія рэфарматарскія царквы, 2 сінагогі, некалькі малітоўных дамоў, публічная бібліятэка. З навучальных устаноў таго часу меліся мужчынская і жаночая гімназіі, мужчынскае духоўнае вучылішча, гарадское чатырохкласнае вучылішча, 2 прыходскія вучылішчы, 7 прыватных навучальных устаноў.

571. Уезд у горад з поўдня. Цяпер тут вуліца Валадарскага.

571. The southern entry to the town. It is Volodarski Street today.

572. Слуцкі кірмаш. Зараз калгасны рынак.

572. The Slutsk Fair. Today an agricultural market.

573. Бульвар на Шырокай вуліцы, цяпер Камсамольская. Дрэвы захаваліся.

573. A boulevard in Shyrokaya Street, now Kamsamolskaya. The trees are all there.

574. Жаночая гімназія, стаяла на рагу вуліц Зімняй і Фарскай.

574. The women's gymnasium which stood on the corner of Zimnaya and Farskaya Streets.

575. Мужчынская гімназія*. З 1617 года — кальвініцкае вучылішча, у 1630-ым — гімназія, у XVIII ст. — публічнае евангелічнае вучылішча, а з 1827 года — зноў гімназія. З яе гісторыяй звязаны імёны многіх вядомых людзей. Тут вучыліся: філосаф і паэт Я. Белабоцкі, асветнік І. Капіевіч, славяназнавец, археолаг, фальклярыст і этнограф З. Даленга-Хадакоўскі, прафесары медыцыны Г. Кулакоўскі і А. Красоўскі, прафесар астраноміі В. Цесарскі, жывапісец акадэмік К. Карсалін, пісьменнікі А. Плуг, А. Абуховіч і Я. Дыла, дактары біялагічных навук прафесары А. Фядзюшын і І. Сяржанін і іншыя. За гімназіяй — званіца кальвініцкага збору XVII стагоддзя. Яна не захавалася. Двухпавярховы будынак гімназіі пабудаваны ў 1852—1854 гадах* на былой Шырокай вуліцы. У ім зараз сярэдняя школа.

575. The men's gymnasium*. After 1617 — a Calvinist college. After 1630 — a gimnasium. In the 18th century — a public evangelist college, and after 1827 — gymnasium again. Its history is associated with quite a number of well-known names. Its students were the philosopher and poet Y. Belabotski, the enlighener I. Kapievich, the Slav researcher, archeologist and ethnographer Z. Dalenga-Khadakouski, medical professors G. Kulakouski and A. Krasouski, astronomy professor V. Tsesarski, artist academician K. Karsalin, writers A. Plug, A. Abukhovich and Y. Dyla, habilitated doctors of biology, professors A. Fyadzushyn, I. Syarzhanin and others. Behind the gymnasium is the bell-tower of a 17th century Calvinist Cathedral which exists no more. The two-storeyed gymnasium building was erected in 1852—1854* in the then Shyrokaya Street, now housing a secondary school.

576. Троіцкі манастыр*. Існаваў у XVII—пачатку XX ст. у прадмесці Трайчаны, вядомы таксама пад назвай Трайчанскі. Захаваўся, але без царквы.

576. The Holy Trinity Monastery* was in existence from the 17th till the early 20th centuries in Traichany settlement. It was also known as the Traichanski Monastery which has lived till today but without the church.

577. Від на горад з моста праз раку Случ. Удалечыні Замкавая гара і сабор.

577. View of the town from the bridge across the Sluch. In the background you can see the Castle Hill and the Cathedral.

Слуцк Slutsk

578. Першыя аўтобусы, якія з'явіліся ў горадзе на пачатку нашага стагоддзя.

578. The first buses which appeared in the town at the beginning of this century.

579. Духоўнае вучылішча*. Будынак пабудаваны ў 1767 годзе. У ім цяпер медвучылішча.

579. The church school* was built in 1767. Today it is a medical college.

580. Касцёл, пабудаваны ў стылі барока ў канцы XVIII—на пачатку XX ст. На яго месцы цяпер масласырзавод.

580. A Catholic Church, built in baroque in the late 18th — early 19th centuries. Today there is a dairy factory.

Smargon

Смаргонь

Заштатны горад Ашмянскага павета Віленскай губерні. Вядомы як мястэчка з XV стагоддзя. Па перапісе 1897 года, насельніцтва было 7,5 тысячы. Праз Смаргонь прайшла Лібава-

581. Мінская вуліца, цяпер Савецкая. Зараз тут новая забудова.

581. Minskaya Street, now Savetskaya with new buildings.

Роменская чыгунка. У гэты час у горадзе дзейнічалі тытунёвая фабрыка, піваварны завод, бровар, мылаварны і больш за 40 гарбарных заводаў. У 1908 годзе колькасць жыхароў павялічылася да 11 763 чалавек. Меліся 2 бальніцы, паштова-тэлеграфная кантора 5-га класа, пажарнае таварыства, фатаграфія, гарадская грамадская ўправа, 2 царквы, касцёл, 2 сінагогі, гарадское трохкласнае вучылішча і аднакласнае пачатковае вучылішча. У цэнтры горада знаходзілася Рыначная плошча. Забудова горада драўляная, і толькі ля плошчы ды на галоўнай, Мінскай, вуліцы сустракаліся, і то мала, мураваныя дамы.

582. Рыначная плошча. Справа будынак вольнага пажарнага таварыства. За дрэвамі — купалы Аляксандраўскай царквы. Цяпер тут плошча Свабоды.

582. Rynachnaya (Market) Square. On the right is the building of the voluntary fire brigade. Behind the trees are the domes of the Aleksander Church. Now it is Svabody (Freedom) Square.

584. Гарбарная вуліца, цяпер Гастэлы.

584. Garbarnaya Street, now named after Gastello.

583. Аляксандраўская царква, знаходзілася на Рыначнай плошчы.

583. The Aleksander Church stood in Rynachnaya (Market) Square.

585. Вакзальная алея. Цяпер вуліца Камсамольская з зелянінай садоў і прыватнай жыллёвай забудовай замест палёў, якія цягнуліся калісьці паабапал алеі.

585. The alley near the railway station, now Kamsamolskaya Street lined with trees, shrubs and private dwelling houses which have covered the fields that once stretched along the alley.

586. Дом і сад І.Ф. Сініцкага — беларускага мемуарыста. Сад быў закладзены ім самім на ўскраіне горада на вуліцы Мінскай. Дом згарэў у першую сусветную вайну, а некаторыя дрэвы ў старым садзе збераглiся.

586. A house and a garden that belonged to I.Sinitski, the Belarusian reminiscences writer. The garden was founded by I.Sinitski himself on the outskirts, in Minskaya Street. The house was burnt during World War I, while some trees in the old garden have remained.

←

Shchuchyn

Шчучын

Мястэчка Лідскага павета Віленскай губерні. Па перапісе 1897 года, жыхароў налічвалася 1742 чалавек, а ў пачатку XX стагоддзя каля 4 тысяч чалавек. У гэты час тут меліся лячэбніца, пажарнае дэпо, паштова-тэлеграфнае аддзяленне, настаўніцкая двухкласная школа, двухкласнае прыходскае вучылішча, царква і касцёл. У цэнтры мястэчка знаходзілася Рыначная плошча з невялікімі мураванымі будынкамі вакол яе.

587. Рыначная плошча (плошча Свабоды). Двухпавярховы мураваны будынак захаваўся.

587. Rynachnaya (Market) Square, now Svabody (Freedom) Square. The two-storeyed concrete building is still there.

588. Кірмаш.

588. A fair.

589. Міхайлаўская царква* на Рыначнай плошчы (плошча Свабоды). Пабудавана ў псеўдарускім стылі ў другой палове XIX ст.

589. The Church of St Michael* in Rynachnaya (Market) Square, now Svabody (Freedom) Square. It was built in pseudo-Russian style in the latter half of the 19th century.

СПІС КРЫНІЦ

Брест. Энциклопедический справочник. Мн., 1987.
Вераксин А.С. Березвечский монастырь. Вильно. 1910.
Весь Минск. Мн., 1911.
Витебск. Энциклопедический справочник. Мн., 1988.
Гомель и его уезд. Гомель, 1915.
Горад і гады./Уклад. *Ул. Карпаў*. Мн., 1967.
Грицкевич В. От Немана к берегам Тихого океана. Мн., 1986.
Гродно. Энциклопедический справочник. Мн., 1989.
Денисов В. Площадь Свободы в Минске. Мн., 1985.
Довгяло Д. Лепель — уездный город Витебской губернии. Витебск, 1905.
Живописная Россия. С.-Петербург, 1882. Т. 3.
Записки Северо-Западного отдела Императорского русского географического общества. Вильно, 1912. Кн. 3.
Збор помнікаў Брэсцкай вобласці. Мн., 1984.
Збор помнікаў Віцебскай вобласці. Мн., 1985.
Збор помнікаў Гомельскай вобласці. Мн., 1985.
Збор помнікаў Гродзенскай вобласці. Мн., 1986.
Збор помнікаў Магілёўскай вобласці. Мн., 1986.
Збор помнікаў Мінскай вобласці. Кн. 1, 2. Мн., 1987.
Збор помнікаў г. Мінска. Мн., 1988.
Зорин Н. Минувшее и настоящее г. Полоцка. Полоцк. 1910.
Календарь и адресно-справочная книга «Весь Гомель» на 1913 г. Гомель, 1912 г.
Караткевіч У. Мсціслаў. Мн., 1985.
Каханоўскі Г. Адчыніся, таямніца часу. Мн., 1984.
Курдзинаускас А., Шугуров Л. Автомобильный спорт в СССР. Вильнюс, 1976.
Минск. Энциклопедический справочник. Мн., 1980.
Орловский Е. Гродненская старина. Гродно, 1910.
Орловский Е. Очерк истории города Гродно. Гродно, 1889.
Пазняк З. Рэха даўняга часу. Мн., 1985.
Памятная книжка Виленской губернии. Вильно, 1896—1915 гг.
Памятная книжка Витебской губернии. Витебск, 1896—1915 гг.
Памятная книжка Гродненской губернии. Гродно, 1896—1915 гг.
Памятная книжка Минской губернии. Мн., 1896—1915 гг.
Памятная книжка Могилевской губернии. Могилев, 1896—1915 гг.
Памятники времен древних и новейших в Витебской губернии. Витебск, 1903.
Путеводитель по городу Полоцку. Полоцк, 1910.
Родчанка Р. Альгерд Абуховіч-Бандынэлі. Мн., 1984.
Родчанка Р. Старэйшая школа Беларусі. Мн., 1984.
Сапунов А. Материалы по истории и географии Дисненского и Виленского уездов Виленской губернии. Витебск, 1896.
Свислочь-Волковысская. Гродно, 1895.
Семенов П.П. Россия. Полное географическое описание нашего Отечества. С.-Петербург, 1905. Т. 9.
Целеш В. Мінск на старых паштоўках. Мн., 1984.
Шибеко З., Шибеко С. Минск. Мн., 1990.
Шишигина К. Музы Несвижа. Мн., 1986.
Юрченко Г. На земле мстиславской взращенный. Мн., 1991.

У альбоме выкарыстаны паштоўкі з архіва В. М. Целеша.

Паштоўкі з іншых архіваў:

122 — *Брэсцкага краязнаўчага музея*
132, 377, 382 — *Расійскай дзяржаўнай бібліятэкі. Масква (былая імя Леніна)*
446, 517 — *М.С. Тагрына (асабістая калекцыя)*
288, 289, 291 — *Лепельскага краязнаўчага музея*
529 — *Полацкага краязнаўчага музея*
544, 552 — *Рагачоўскага краязнаўчага музея*
449, 568 — *Гродзенскага дзяржаўнага гісторыка-археалагічнага музея*
50, 52, 189, 426, 561, 569, 578 — *Нацыянальны музей гісторыі і культуры РБ*
582, 583 — *Смаргонскага краязнаўчага музея*
82, 584 — *Цэнтральнай навуковай бібліятэкі імя Я. Коласа АН РБ*
40, 51 — *Бабруйскага краязнаўчага музея*
222 —*У. Я. Ліфшыца*
188, 192 — *У.І. Скрабатуна*
144 — *Г.К. Зайцава*
55 — *У.Я. Гінзбурга*
462, 468 — *А.П. Аляшкевіча*
574 — *В.В. Родчанкі*

ЗМЕСТ CONTENTS

ГАРАДЫ БЕЛАРУСІ
на старых паштоўках

Альбом
Аўтар тэксту і ўкладальнік Вячаслаў Міхайлавіч Целеш

Мінск, выдавецтва «Беларусь»
На беларускай і англійскай мовах

Пераклад на англійскую мову
У.А. Чарнышова
Рэдактар Т.І. Улевіч
Мастак А.І. Цароў
Мастацкае і тэхнічнае рэдагаванне
Т.А. Мельянец
Камп'ютэрная вёрстка
М.І. Лазука
Карэктары Ю. Ц. Петрыкеева,
Г. К. Піскунова
Аператар Т. А. Касцяневіч

Падпісана да друку 27.12.2000.
Фармат 60х90 1/8. Папера афс.
Гарнітура таймс. Афсетны друк.
Ум. друк. арк. 32,0.
Ум. фарб.-адб. 71,25.
Ул.-выд. арк. 25,15.
Тыраж 3000 экз. Зак. 151.

Падатковая льгота — Агульнадзяржаўны класіфікатар Рэспублікі Беларусь АКРБ 007-98, ч. 1; 22.11.20.690

Дзяржаўнае прадпрыемства
«Выдавецтва «Беларусь»
Дзяржаўнага камітэта
Рэспублікі Беларусь па друку.
Ліцэнзія ЛВ № 2 ад 31.12.97.
220004, Мінск,
праспект Машэрава, 11.

Мінская фабрыка
каляровага друку.
220024. Мінск,
вул. Каржанеўскага, 20.